INTRODUCTION
AUX MÉTHODES CRITIQUES
POUR L'ANALYSE LITTÉRAIRE

INTRODUCTION AUX MÉTHODES CRITIQUES POUR L'ANALYSE LITTÉRAIRE

par DANIEL BERGEZ, PIERRE BARBÉRIS, PIERRE-MARC DE BIASI, MARCELLE MARINI, GISÈLE VALENCY

sous la direction de DANIEL BERGEZ

Bordas

En couverture

Charles Emmanuel Bizet d'Annonay
Nature morte aux livres, peinture XVIIe siècle
Musée de l'Ain, Bourg-en-Bresse

Ph. © G. Dagli Orti

© BORDAS, Paris, 1990
ISBN 2-04-018775.8

Table des matières

Avant-propos

«Il y a plus affaire à interpréter les interprétations qu'à interpréter les choses, et plus de livres sur les livres que sur autre sujet», affirmait déjà Montaigne. Et l'auteur des *Essais* de poursuivre : «nous ne faisons que nous entregloser. Tout fourmille de commentaires ; d'auteurs, il est en grand cherté.» Quatre siècles plus tard, le propos n'a rien perdu de sa pertinence. Les violents débats menés, à partir des années soixante, autour de ce qu'on a appelé «nouvelle critique», avaient certes pour motifs immédiats des questions de méthode ; mais, en profondeur, ils posaient la question épineuse du rôle de la critique dans les modes de consommation littéraire. Rôle nécessaire selon les uns, néfaste selon les autres.

On ne peut nier qu'un certain terrorisme méthodologique et idéologique a fortement conditionné, depuis quelques décennies, l'enseignement de la littérature et la création littéraire elle-même. Un Julien Gracq, dans «La Littérature à l'estomac», a entrepris de dénoncer cette déviation qui accorde plus de poids à la parole du critique qu'à l'œuvre de l'écrivain. Et, dans ses *Lettrines*, il s'interrogeait : «Que dire à ces gens, qui croyant posséder une clé, n'ont de cesse qu'ils aient disposé votre œuvre en forme de serrure ?» Le danger du discours critique est en effet toujours d'appauvrir l'œuvre sur laquelle il porte, au nom d'une cohérence factice ou d'un dogmatisme méthodologique. Céline trouvait «honteux» et «humiliant» le spectacle du «lettré, dépiaut(ant) narquoisement un texte, un ouvrage» (*Bagatelles pour un massacre*). Bien avant lui, Montesquieu assimilait les critiques aux «mauvais généraux d'armée qui, ne pouvant investir un pays, en corrompent les eaux.»

La critique serait-elle donc mortelle à la littérature ? Elle lui est tout aussi bien indispensable, et son inconfort vient de ce paradoxe qui la constitue : l'œuvre littéraire a besoin d'un discours qui la commente et l'éclaire ; elle l'appelle même, puisqu'elle appartient à l'univers du langage ; mais il arrive toujours un moment où l'acte critique tend à se suffire à lui-même, et à reléguer l'œuvre au rang de simple prétexte.

Cette légitimité, et ces dangers, caractérisent toutes les activités qui, de près ou de loin, participent du commentaire des textes : le compte-rendu journalistique, l'exposé universitaire, l'«explication de texte» pratiquée dans les classes, la réflexion du «poéticien», et même l'échange de vues entre deux lecteurs... Dans toutes ces situations, la littérature est objet de discours, d'évaluation et de jugement.

C'est la critique universitaire, à laquelle cet ouvrage est consacré, qui s'est le plus interrogée sur les modalités d'une telle appréciation. Entre un Baudelaire, pour qui la critique ne pouvait être que passionnée, et les commentateurs actuels, généralement soucieux de pondération, ce sont les sciences humaines qui ont bouleversé les conditions du discours tenu sur la littérature. Les développements de l'histoire, de la sociologie, de la psychanalyse, ont constitué le sujet humain en objet d'analyse, et le texte littéraire en lieu de savoirs autant qu'un moyen de jouissance esthétique. La critique a donc tendu à devenir une science, mobilisant des procédures codées d'analyse et un bagage conceptuel précis.

On est généralement convaincu, aujourd'hui, des dangers d'une critique uniquement soucieuse de scientificité : pour qu'elle soit seulement possible, ne faudrait-il pas d'abord que le texte littéraire puisse être assimilé à un pur objet ? Or, un texte est toujours lu par quelqu'un : son existence dépend du regard d'un lecteur, et des conditions toujours variables de sa réception. Mais une telle évidence ne conduit nullement à un repli frileux sur le subjectivisme de l'appréciation personnelle : qui pourrait faire fi des moyens nouveaux de compréhension que l'on doit à l'histoire, à la sociologie, à la psychanalyse, ou à la linguistique ?

C'est pourquoi ce livre présente et analyse successivement les grands courants critiques actuels : génétique, psychanalytique, thématique, sociologique, et linguistique. Une présentation séparée de ces cinq orientations méthodologiques – dont on verra qu'elles supposent toutes une certaine conception du texte littéraire, voire une certaine conception de l'homme – nous a paru la mieux à même d'en respecter les spécificités. Le même souci a commandé que ce livre fût rédigé en collaboration, chaque chapitre étant confié à un spécialiste, libre de sa démarche et de son style, à l'intérieur des limites étroites imposées par ce volume.

Ce livre se veut pratique, à la fois pédagogique dans son esprit et sa destination, et méthodologique dans sa démarche. C'est dire qu'il ne saurait être complet sur un sujet aussi vaste. Le principe de regroupement retenu, par orientations critiques, excluait qu'il fût convenablement parlé de critiques aussi éminents et atypiques que, par exemple, Roland Barthes, Maurice Blanchot, Jean-Paul Sartre: leur œuvre critique ne peut se réduire à un courant méthodologique. Il n'a pas été possible non plus de faire leur place à des réflexions plus vastes, sans implications méthodologiques directes, touchant à la littérature : celles de Jacques Derrida ou de Michel Foucault par exemple. Est-il besoin de préciser aussi que même sous l'angle pratique que l'on a retenu, tout n'a pas été dit ? Par exemple, nous n'avons pas cru devoir consacrer un chapitre séparé à la «critique des sources». Non qu'elle nous paraisse négligeable, bien au contraire ; mais parce que les «éditions savantes» («Bibliothèque de la Pléiade», «Classiques Garnier», notamment) sur lesquelles ont l'habitude de travailler les étudiants, en donnent un aperçu dont la fécondité est suffisamment apparente. On a donc fait des choix, forcément subjectifs, peut-être contestables. Du moins a-t-on voulu être utile, proposer des points de repère, tracer des pistes. Au lecteur d'aller plus loin, notamment grâce aux bibliographies indicatives qui concluent chaque chapitre.

Daniel BERGEZ

I. La critique génétique

par Pierre-Marc de Biasi

Introduction

Le point de départ de la critique génétique réside dans un constat de fait : le texte définitif d'une œuvre littéraire est, à de très rares exceptions près, le résultat d'un travail, c'est-à-dire d'une élaboration progressive, d'une transformation qui s'est traduite par une durée productive au cours de laquelle l'auteur s'est consacré, par exemple, à la recherche de documents, ou d'informations, à la préparation puis à la rédaction de son texte, à diverses campagnes de corrections, etc. La critique génétique a pour objet cette dimension temporelle du texte à l'état naissant, et part de l'hypothèse que l'œuvre, dans son éventuelle perfection finale, n'en reste pas moins l'effet de sa propre genèse. Mais pour pouvoir devenir l'objet d'une étude, cette genèse de l'œuvre doit évidemment avoir laissé des «traces». Ce sont ces traces matérielles que la génétique textuelle se propose de retrouver et d'élucider. A côté du texte, et avant lui, il peut en effet exister un ensemble plus ou moins développé de «documents de rédaction», produits, réunis, et parfois conservés par l'auteur : ce que l'on appelle communément «les manuscrits de l'œuvre». Ces ensembles de manuscrits, lorsqu'ils existent encore, s'avèrent essentiellement variables en quantités et en types selon les époques, les auteurs, et les œuvres considérées. Mais pour peu qu'il ne soit pas trop lacunaire, chaque dossier de manuscrits, avec ses caractéristiques, raconte une histoire singulière et souvent surprenante : l'histoire de ce qui s'est passé entre le moment où l'auteur entrevoit la première idée de son projet et le moment où le texte, écrit, paraît sous la forme d'un livre imprimé. La génétique textuelle (qui étudie matériellement les manuscrits, qui les déchiffre) et la critique génétique (qui cherche à interpréter les résultats de déchiffrement) n'ont pas d'autre but que celui de reconstituer une histoire du «texte à l'état naissant» en cherchant à y retrouver les secrets de fabrication de l'œuvre. Rendre visible et comprendre l'originalité du texte littéraire à travers le processus qui lui a donné naissance, tel est le projet de cette approche critique, qui, on va le voir, occupe une place un peu particulière dans le panorama des discours critiques, et se prononce pour une collaboration aussi large que possible avec toutes les autres méthodes d'interprétation du texte.

1. Histoire d'une problématique

Le manuscrit moderne

La notion de «manuscrit» n'est pas une notion simple. Ces «manuscrits de travail» que la critique génétique cherche à élucider se distinguent, par exemple, radicalement des «manuscrits médiévaux» que la philologie classique s'était donnés comme objet d'étude. Ce sont des «manuscrits modernes» qui peuvent être pensés comme documents de genèse dans la mesure où coexiste une autre forme de réalisation du texte qui en est l'aboutissement esthétique : celle du livre imprimé qui fixe l'œuvre en un texte définitif authentifié par l'auteur.

Jusqu'à l'invention de l'imprimerie qui, au XVe siècle, fait passer la culture occidentale dans ce qu'il est convenu d'appeler «les temps modernes», le manuscrit joue le rôle de support quasi exclusif pour l'enregistrement, la communication et la diffusion publique des textes, notamment littéraires. Avant l'entrée dans «la Galaxie Gutenberg», chaque texte n'était connu que par des copies manuscrites toujours uniques qui donnaient du texte des versions particulières avec des variantes plus ou moins importantes d'une copie à l'autre, sans qu'il soit vraiment possible d'identifier ou de reconstituer un état originaire de l'œuvre – cet «Urtexte» plus ou moins mythique – qui reste définitivement perdu. Ce sont toutes ces versions variantes et ce que révèlent leurs multiples filiations qui constituent le texte – pluriel et jamais définitif – de l'œuvre médiévale, dépositaire, comme on le sait, de la culture antique.

Cette situation ne se transforme pas du jour au lendemain lorsque l'imprimé fait son apparition au XVe siècle. Pendant longtemps encore le manuscrit conservera une grande partie de ses prérogatives. En fait, il faudra attendre près de trois siècles, et pratiquement la fin du XVIIIᵉ siècle, pour que les progrès techniques de l'imprimerie permettent de remplacer définitivement de la copie manuscrite par le livre imprimé comme support exclusif de la diffusion publique des textes. A partir de cette période, le manuscrit littéraire entre dans une nouvelle ère : il a perdu sa fonction d'instrument de communication mais il se recentre sur une toute autre signification (qu'il a vraisemblablement toujours eue pour les écrivains, mais qui devient alors une «valeur» reconnue) : il devient la trace personnelle d'une création individuelle, d'une création. Il se met à prendre sens comme symbole d'une originalité, comme objet témoin d'un «travail intellectuel» : écrit «de la main de l'auteur», le manuscrit moderne se définit comme le document «autographe» qui est à l'origine du livre et qui est produit par un écrivain dont on peut lire l'œuvre sous forme imprimée.

Dès le début du XIXᵉ siècle, cette dualité du manuscrit – ancien et moderne – se traduit par une double curiosité de la culture occidentale à l'égard de sa propre histoire : la philologie redécouvre le manuscrit ancien (antique et médiéval) et en fait l'objet d'une science historique qui va assez rapidement fournir les cadres d'une nouvelle conception de l'édition critique et de l'étude de la littérature dans ses rapports à l'Histoire (laquelle est au même moment en pleine redéfinition). Dans le même temps, plusieurs auteurs contemporains commencent à prêter une attention nouvelle à leurs propres instruments de création : ils commencent à conserver leurs manuscrits de travail et, au lieu de les détruire après fabrication du livre, se mettent à les léguer à des collections publiques ou privées, dans lesquelles va progressivement se rassembler un immense patrimoine de documents autographes. Le mouvement débute en Allemagne dès la fin du XVIIIᵉ siècle, se confirme en France aux alentours des années 1830, puis se répand dans la plupart des pays européens, qui, à partir de la seconde moitié du XIXᵉ siècle et jusqu'à nos jours, dotent leurs bibliothèques de «départements des manuscrits contemporains», et accumulent de gigantesques «bases de données» matérielles sur la création littéraire contemporaine. Le «manuscrit moderne» est né, et c'est à l'étude de cet objet historiquement déterminé que se consacrent aujourd'hui la génétique textuelle et la critique génétique.

Analyser le document autographe pour comprendre, dans le mouvement même de l'écriture, le mécanisme de production du texte, élucider la démarche de l'écrivain et le processus qui a présidé à l'émergence de l'œuvre, élaborer les concepts, méthodes et techniques permettant d'exploiter scientifiquement le précieux patrimoine des manuscrits modernes conservés depuis près de deux siècles dans les archives occidentales, telle est, depuis une quinzaine d'années environ, l'ambition de cette approche toute récente – la critique génétique – qui, à la fois renoue avec une tradition classique qui est celle de la philologie, et introduit de nouvelles perspectives – résolument scientifiques – dans l'analyse du phénomène littéraire. Loin d'entrer en concurrence avec les autres méthodes d'analyse du texte, l'approche génétique se présente avant tout comme l'ouverture d'un nouveau champ d'étude inexploré dans lequel les discours critiques trouveront matière à confirmer ou à infirmer, avec une certaine «objectivité» expérimentale, le bien-fondé de leurs hypothèses interprétatives sur l'œuvre.

Une nouvelle conception du manuscrit

Aussi paradoxal que cela puisse paraître, l'ensemble des manuscrits littéraires conservés et disponibles dans les bibliothèques depuis le début du XXᵉ siècle, représente aujourd'hui, à peu d'exceptions près, un champ matériel d'analyse presque totalement inexploré. Une telle situation peut étonner puisque l'étude des manuscrits d'écrivains ne paraît pas en soi une démarche entièrement neuve. Elle l'est pourtant d'une certaine manière par l'extension et les finalités que la critique génétique veut donner à cette recherche.

■ Les anciennes études de genèse

Même si certains généticiens de la littérature accepteraient volontiers d'être considérés comme de «nouveaux philologues» dans la pure tradition de la philologie classique, la récente critique génétique n'a que peu de chose à voir avec les anciennes «études de genèse» qui, depuis la fin du XIXᵉ siècle et jusqu'aux années 1940, relançaient sporadiquement le discours critique sur les rails d'une certaine érudition positiviste ou néo-positiviste. Il y eut, certes, au cours de la même période, quelques exceptions remarquables qui ont joué un rôle sans doute essentiel pour la formation de cette nouvelle approche des manuscrits modernes : on en parlera plus loin. Mais, en dehors de ces quelques travaux exemplaires, les anciennes études de genèse se caractérisaient par un usage très éclectique des documents autographes.

■ Naissance d'une nouvelle problématique

Dès les années 1920-1930, quelques dossiers de manuscrits particulièrement compacts commencent à faire l'objet de transcriptions précises et de publications d'un type nouveau comme, par exemple, en 1936, *Madame Bovary, ébauches et fragments inédits recueillis d'après les manuscrits*, par Gabrielle Leleu, bibliothécaire à Rouen [1].

Mais ces cas sont rares, et l'étude de genèse défendue par G. Rudler [2], P. Audiat [3], G. Lanson [4], ou Thibaudet [5] ne présente aucune homogénéité. Chez quelques-uns, comme Rudler et dans une moindre mesure Audiat, le projet critique propose des perspectives profondément novatrices qui préfigurent nettement l'actuelle critique génétique ; chez tous les autres, l'étude des manuscrits reste surtout conçue comme une méthode d'appoint pour enrichir l'histoire littéraire et l'approche biographique de l'œuvre.

■ Le cas Rudler

Comme le rappelle clairement Jean-Yves Tadié dans sa très précieuse étude *La Critique littéraire au XXᵉ siècle* [6], c'est Gustave Rudler qui, dans son ouvrage de 1923, fournit «l'exposé le plus rigoureux de la méthode, non seulement de l'édition critique, mais de la critique de genèse». L'ambition de Rudler, dans laquelle pourrait se reconnaître celle des généticiens d'aujourd'hui, est d'étudier «à un point de vue dynamique» l'évolution créatrice de l'œuvre saisie à travers le «mécanisme mental des écrivains». Pour

---

1. Paris, éd. Conard.
2. *Techniques de la critique et de l'histoire littéraires*, Oxford, 1923, Slatkine, 1979.
3. *La Biographie de l'œuvre littéraire, esquisse d'une méthode critique*, Champion, 1924.
4. *Etudes d'histoire littéraire*, Champion, 1930.
5. *Réflexions sur la critique*, Gallimard, 1939.
6. Belfond, 1987.

y parvenir, Rudler propose d'en rechercher les traces dans les «étapes» que font apparaître les manuscrits : «Avant d'être envoyée à l'impression, l'œuvre littéraire passe par bien des étapes, depuis l'idée première jusqu'à l'exécution finale. La critique de genèse se propose de mettre à nu le travail mental d'où sort l'œuvre, et d'en trouver les lois.» Mais si les principes de Rudler ressemblent de façon frappante à ceux de la génétique textuelle, il ne faut pas méconnaître que son point de vue était surtout programmatique ; en réalité, de l'aveu même de Rudler, il n'y a, à cette époque, que «peu d'études de genèse vraiment dignes de ce nom et qui aillent loin». Comme le reconnaît J.-Y. Tadié en 1987, «les choses ont changé ces dernières années», mais il aura quand même fallu près de trois générations de critiques pour que l'idée de Rudler finisse par s'incarner. De plus le «système» du professeur d'Oxford n'était pas tout à fait identifiable à celui de la critique génétique d'aujourd'hui : sa théorie de la genèse était encore toute embarrassée de préoccupations totalisantes (son ambition était de déterminer «la formule totale de l'écrivain») et de présupposés psychologistes (les manuscrits et les sources permettraient de reconstituer les «physionomies» sentimentales, idéologiques et sensorielles des différents écrivains, etc.). Quelle que soit la valeur d'annonce de la théorie de Rudler, elle portait encore largement la marque de l'empirisme anglo-saxon et du psychologisme critique des années 1920.

■ *La période contemporaine*

A partir des années 1950, on commence à voir se dessiner ici et là les premiers aspects d'une conception nouvelle de l'étude génétique des textes. C'est le cas, par exemple, des travaux de R. Ricatte [1], de R. Journet et G. Robert [2], de M.-J. Durry [3], de J. Levaillant [4] et de C. Gothot-Mersch [5], etc. Mais ces publications qui, entre 1950 et le début des années 1960, ont su projeter parfois de manière éclatante l'hypothèse d'une voie toute nouvelle pour les études de genèse littéraire, sont restées, chacune en son domaine,

---

1. *La Genèse de «La fille Elisa»*, P.U.F., 1960.
2. *Les Manuscrits des «Contemplations»*, Les Belles Lettres, 1956.
3. *Flaubert et ses projets inédits*, Nizet, 1950.
4. *Aspects de la création littéraire chez A. France.*
5. *La Genèse de «Madame Bovary»*, Corti, 1966.

des entreprises isolées qui ne proposaient pas encore de méthode constituée au-delà de leur objet ni de démarche unitaire. Paradoxalement, en effet, ce sont les «nouveaux chemins» de la critique, inaugurés au début des années 1960, qui ont marqué le tournant décisif. A partir de cette époque, et pour une bonne dizaine d'années, ce qui s'est affirmé comme le courant structuraliste a orienté de plus en plus nettement la critique vers une problématique qui était (au moins en apparence) diamétralement opposée à l'hypothèse génétique : celle du texte pur et dur, conçu comme une entité autosuffisante, celle des «systèmes», des ensembles signifiants à analyser dans leur logique interne, etc. Pourtant, si les succès de la critique structuraliste ont entièrement éclipsé les lumières encore bien ténues de la nouvelle étude de genèse, le bilan de cette période formaliste ne fut pas sans un immense profit pour les futures recherches en génétique littéraire. Les développements de l'anthropologie structurale et de la linguistique formelle, la diffusion des travaux des formalistes russes, la relance des études freudiennes en direction d'une théorie structurale de l'Inconscient, etc., se sont traduits en France par un intense travail de conceptualisation, notamment dans le domaine de la théorie du texte. Le panorama critique s'est entièrement redessiné et l'effort de théorisation tous azimuts s'est soldé par la mise en évidence et l'élaboration de concepts qui, tout en venant d'ailleurs, étaient indispensables à une approche cohérente des problèmes que posent les études de manuscrits.

La future critique génétique n'aurait sans doute jamais pu constituer ses propres fondements théoriques sans s'étayer sur ce nouvel édifice notionnel qui, par delà les effets de mode et l'inflation terminologique du moment, lui fournissait, indirectement, quelques concepts-clés pour penser la genèse. Les conditions d'une véritable réflexion sur les manuscrits modernes ne se sont ainsi réunies qu'au moment où, grâce aux différents acquis de la «théorie du texte», il est devenu possible de poser le problème de sa production temporelle en termes de processus et de système. Pour y parvenir, il a fallu ouvrir, sur la diachronie concrète des opérations d'écriture, l'analyse structurale jusque-là dominée par l'obsession synchronique de la forme et par les métaphores spatiales. Mais en revendiquant la théorisation d'une «dimension historique à l'intérieur même de l'écrit» (Louis Hay), la critique génétique s'est immédiatement posée, dans le courant des années

1970, comme ce prolongement inattendu des recherches structurales qui se donnait pour espace de définition ce qui avait fait le
plus cruellement défaut aux analyses formelles : le devenir-texte
comme structure à l'état naissant, et l'étendue d'un nouvel objet,
concret et spécifique, structuré par le temps, le manuscrit.

2. Le domaine des études génétiques : les quatre phases de la genèse

Lorsqu'il est assez complet, le dossier de genèse d'une œuvre
publiée fait habituellement apparaître quatre grandes phases
génétiques. Je les intitulerai : phases pré-rédactionnelle, rédactionnelle, pré-éditoriale, éditoriale. Chacune de ces quatre phases
peut se décomposer en plusieurs moments et plusieurs fonctions
auxquels se rapportent des types de manuscrits particuliers. Gustave Flaubert va nous servir de guide pour y voir un peu plus clair
dans cette préhistoire du texte.

La phase pré-rédactionnelle

Comme son nom l'indique, c'est la phase qui précède le travail
de rédaction proprement dit. Cette phase pré-rédactionnelle peut,
selon les écrivains et selon les œuvres, varier considérablement en
importance, et même assez fréquemment se traduire par une
succession sporadique de «faux départs» échelonnés dans le
temps avant que le projet proprement dit ne se dégage sous la
forme d'une idée de rédaction qui pourra évoluer favorablement.
On pourra donc trouver des manuscrits se rapportant à deux types
de phases pré-rédactionnelles :

– *une phase exploratoire* qu'il faudrait appeler «pré-initiale»,
qui peut se solder par plusieurs tentatives espacées dans le temps
dont certaines parfois très largement antérieures à la rédaction ;

– *une phase de décision* qui précède réellement la rédaction,
qui éventuellement lui bâtit une programmation, et qu'il faut
appeler «initiale».

Ainsi, pour l'un de ses *Trois Contes*, Flaubert a-t-il eu le projet (ou pré-projet) d'écrire une «Histoire de saint Julien» en 1856, soit dix-neuf ans avant de commencer à rédiger pour de bon cette œuvre. Les archives de la Bibliothèque nationale de Paris possèdent une liasse de manuscrits qui se rapporte à l'état pré-initial du projet en 1856, et une autre liasse qui se rapporte à la phase initiale du projet tel qu'il est repris et redéfini en 1875. Les plans ne sont pas les mêmes, l'écriture est très différente (à tel point d'ailleurs qu'on a cru jusqu'à une date récente que la première liasse n'était pas écrite de la main de Flaubert !), mais c'est bien le même projet qui refait surface pour enfin entrer dans ce qui deviendra sa phase de décision.

■ *La phase pré-initiale exploratoire*

Cette phase n'est évidemment posée comme «pré-initiale» et seulement «exploratoire» qu'avec le recul qui permet de savoir que l'auteur finalement ne donnera pas immédiatement suite à son projet. Replacée dans les circonstances de sa production, cette phase peut très bien avoir été conçue par l'écrivain comme un vrai départ, interrompu malgré lui par tel ou tel événement extérieur, ou par une difficulté plus profonde liée au projet lui-même. La phase pré-initiale peut aussi se répéter plusieurs fois dans la carrière de l'auteur. Ainsi, pour le cas évoqué de *Saint Julien*, plusieurs détails semblent prouver que le projet de cette œuvre s'enracine pour Flaubert dans un passé bien antérieur aux premiers manuscrits connus qui sont ceux de la phase pré-initiale de 1856 : un témoignage de son ami Maxime Ducamp fait remonter l'idée à 1846, et certains éléments de la Correspondance, croisés avec d'autres documents, permettent même de penser que le projet remonte à l'adolescence de l'écrivain, vers 1835. Mais ces tout débuts n'ont, semble-t-il, laissé aucun manuscrit de travail. Donc, d'un point de vue génétique, la première pré-initiale peut être fixée à 1856. Les hypothèses 1846 et 1835 doivent être prises en compte pour l'étude de genèse mais au titre des informations non génétiques. C'est du moins, pour ce dossier, la conclusion provisoire qu'il faut tirer de notre connaissance actuelle du corpus flaubertien ; car en matière de génétique textuelle, les surprises et les découvertes matérielles les plus imprévisibles ne sont pas rares. On retrouvera peut-être un jour un plan de *Saint Julien* rédigé en 1846, ou même des notes plus anciennes parmi une liasse de manuscrits de jeunesse...

■ La phase initiale, de décision et de programmation

A un certain point de sa carrière, l'écrivain, pour toutes sortes de raisons (symboliques, psychologiques, littéraires, professionnelles, etc.), que le critique cherchera à élucider, en arrive à ce moment décisif où le projet est devenu viable. L'auteur peut d'ailleurs ne pas en être conscient et travailler (ou retravailler) son projet sans envisager immédiatement la réalisation, ou en la tentant sans conviction. Selon la technique de travail de l'écrivain, cette phase initiale de décision aura un profil très différent : il s'agira toujours de négocier le passage à la rédaction et de programmer la suite des opérations, mais selon des modalités qui peuvent être variables et même franchement opposées d'un auteur à l'autre. Pour certains la décision est quasiment coextensive à l'entrée en rédaction : c'est alors l'incipit qui jouera à lui seul le rôle de phase initiale et qui intégrera à la fois la décision, la programmation et le début de la réalisation. Les premières phrases ou les premières pages seront l'espace de définition de ce moment génétique où l'œuvre prend naissance : l'exemple le plus fameux de ce type de phase initiale rédactionnelle est celui que Louis Aragon a voulu établir en théorie d'écriture, *Je n'ai jamais appris à écrire ou les Incipits* [1].

Mais pour une majorité d'écrivains, cette phase initiale se distingue véritablement de la rédaction qu'elle a pour but de préparer et de programmer. Les types de manuscrits qui se rapportent à ce travail sont de même nature que ceux des phases pré-initiales : listes de mots, indications de régie ; titres ; plans ou plans développés sous forme de scénarios ; notes de recherche, documentation exploratoire prise par provision pour la future rédaction, et souvent aussi pour rêver, pour nourrir cette rêverie programmatrice qu'est l'invention du plan, du canevas de l'œuvre. Ainsi Flaubert reprend-il, en septembre 1875, ses vieilles notes et son plan, en cinq parties, de 1856, sans y trouver ce dont il avait besoin pour sa nouvelle conception du récit : en vingt ans, le projet s'est radicalement transformé et il lui faut tout reprendre à zéro. La phase initiale est un nouveau départ : Flaubert met une quinzaine de jours à réfléchir sans rien écrire, «rêvasse» son idée de légende, relit quelques textes, puis, quand tout est au point dans son imaginaire, quand il se sent capable de visualiser l'enchaînement

---

1. Flammarion, Skira, 1969.

des différentes séquences de l'histoire, il passe à la composition d'un plan-scénario de trois pages, extrêmement précis, qui va correspondre aux trois parties à venir de l'œuvre. Le plan-scénario sera corrigé au fur et à mesure de l'avancement de la rédaction, mais son rôle de régie et de programmation stricte de l'écriture restera dominant d'un bout à l'autre de la genèse.

La phase rédactionnelle

C'est la phase d'exécution proprement dite du projet. C'est ici le cœur même de la genèse : ce que l'on appelle indistinctement les «brouillons» de l'œuvre, mais qui regroupent en réalité diverses catégories de manuscrits et qui peuvent, en outre, être accompagnés d'un dossier de notes documentaires à usage rédactionnel, assez distinct en général du dossier documentaire exploratoire de la phase initiale.

■ *Le dossier documentaire rédactionnel*

En écrivant son plan, l'auteur, notamment s'il s'agit d'un roman ou d'une œuvre narrative, peut avoir constitué un premier dossier de notes sur l'époque où se situe l'histoire, sur les lieux du récit, sur certains personnages réels qui doivent servir de modèles, ou sur telle ou telle question scientifique, sociale, historique ou technique que la narration devra aborder. Mais cette première exploration reste en général assez globale et peu spécifiée : c'est le plus souvent une documentation d'«atmosphère» constituée à un moment où l'écrivain ne peut pas toujours savoir dans le détail de quelles informations très précises il aura besoin pour son récit. Le dossier documentaire rédactionnel sera justement une réponse à ce besoin extrêmement spécifié qui est celui de cette phase : une exigence ponctuelle ou fondamentale d'informations, produite par la rédaction, à un moment précis du récit. Ces manuscrits de notes documentaires, carnets, cahiers ou feuilles volantes, correspondent en effet aux moments où l'auteur a dû interrompre son travail d'écriture pour aller se renseigner sur une question non résolue qui lui interdit d'aller plus loin dans la rédaction.

■ *Le dossier de rédaction, ou «brouillons» de l'œuvre*

Quelle que soit l'importance des notes documentaires, l'essentiel de la genèse de l'œuvre se joue quand même dans les manuscrits de rédaction proprement dits. La notion de «brouillons» n'est pas suffisamment précise pour décrire les différents types de manuscrits qui se rencontrent dans cette phase rédactionnelle. Le travail qui mène des éléments premiers du scénario au manuscrit définitif de l'œuvre ne s'accomplit généralement pas d'un seul mouvement : il y a plusieurs étapes et une même page, chez un romancier comme Balzac ou Flaubert, est habituellement récrite entre 5 et 10 fois avant de parvenir à l'état où l'auteur juge son texte satisfaisant. Dans certains cas de rédactions particulièrement difficiles, par exemple pour les secteurs stratégiques du récit, on peut trouver 12, 15 ou même 20 versions successives du même passage. Ces quantités ne sont pas rares non plus en poésie.

Dans le travail de Flaubert, on peut assez distinctement repérer trois types de manuscrits rédactionnels qui correspondent aux trois grands moments par lesquels passe cette lente élaboration du manuscrit définitif. Cette typologie ne se retrouve pas systématiquement sous la même forme chez tous les romanciers modernes, mais, moyennant quelques variantes, elle permet de classer génétiquement une assez large majorité de dossiers de brouillons romanesques.

■ *Le moment des scénarios développés*

Le premier geste du romancier est de développer, de manière d'abord «sauvage», les éléments du scénario issu de la phase initiale. Ce que les notes synthétiques et fortement elliptiques de son plan contenaient comme noyaux d'images mentales, idées ou désirs de récits, devient l'objet d'une intense explicitation qui ne s'embarrasse pas toujours de cohérence : on peut, à ce stade trouver des fragments de récits contradictoires, des listes de mots à placer, des bribes de phrases avec points de suspension ou des «X, Y, Z» pour les noms propres encore indéterminés, etc., le tout dans un style volontiers télégraphique, avec, çà et là, des phrases déjà formées, ou des indications de rythmes qui s'annoncent. En deux ou trois versions, les «scénarios développés» vont multiplier la quantité de texte initial (le scénario) par 10 ou 12 : quelques lignes extraites du plan se transforment en une pleine page. A l'échelle du texte tout entier, c'est le moment où le récit bâtit ses grandes articulations chronologiques (diégétiques), narratives (contenus événementiels, disposition, personnages, descriptions, etc.) et symboliques (réseaux de symboles, structures implicites, systèmes d'échos, allusions, etc.). Mais l'ensemble reste mobile, et la textualisation (mise en «phrases», structuration en paragraphes, etc.) n'est encore pour l'essentiel qu'à peine amorcée.

■ *Le moment des ébauches et des brouillons*

C'est le passage à cette exigence de textualisation qui marque, plus ou moins nettement, le passage à ce second moment rédactionnel. Le développement par diversification et amplification des éléments initiaux se poursuit mais le style intra-rédactionnel disparaît au profit de véritables phrases qui se forment un peu partout sur la page, entre les lignes, et dans les marges avec divers systèmes de renvois. Vers le milieu de cette phase l'écriture flaubertienne subit une transformation caractéristique (qui l'oppose par exemple à l'écriture balzacienne) : le mouvement d'amplification continue qui est maintenant parvenu à un coefficient moyen de 18 par rapport au scénario initial, se renverse au profit d'un intense effort de condensation qui va se poursuivre dans la dernière étape de finalisation rédactionnelle.

■ *Le moment des mises au net corrigées*

A partir d'un certain point d'élaboration, l'aspect visuel du brouillon flaubertien se transforme : les ratures et adjonctions diminuent sensiblement et laissent apparaître plus nettement les lignes d'écriture de la page proprement dite. A ce stade, la technique de Flaubert (et de beaucoup d'autres écrivains) consiste à recopier, à «mettre au net» l'une après l'autre les versions de plus en plus «propres» de la même page. On voit le futur texte progressivement émerger du chaos des brouillons. La condensation continue à resserrer la matière textualisée et les ratures l'emportent sur les ajouts. Vers la fin de ce processus, le texte «pré-définitif» de la dernière mise au net corrigée par Flaubert aura éliminé en moyenne près d'un tiers de la matière textuelle élaborée dans les scénarios développés et les premiers brouillons.

La phase pré-éditoriale

Dans la phase pré-éditoriale, le «texte», sans être encore complètement fixé, entre dans une étape de finalisation d'un autre type. On va quitter progressivement l'espace du manuscrit où tout est

possible, pour entrer dans une nouvelle dimension où l'intervention de l'auteur va devenir (sauf cas exceptionnel) de plus en plus
ponctuelle.

■ *Le moment du manuscrit définitif*

C'est le dernier état autographe de l'avant-texte : un état quasi-
final de l'œuvre sur lequel peuvent encore apparaître quelques
repentirs mais qui donne déjà l'image du modèle sur lequel sera
reproduite la version imprimée. C'est sur ce document, généralement facile à lire (et pour cause, puisqu'il doit servir de modèle)
qu'étaient autrefois cherchées les «variantes» des éditions savantes et des études génétiques du style. A partir du premier tiers du
XIXᵉ siècle, les écrivains prennent l'habitude de protéger ce document et, au lieu de le donner à l'imprimeur, le font copier par un
professionnel qui en fournit une version calligraphiée : l'équivalent des dactylographies du XXᵉ siècle ou des saisies informatiques actuelles.

■ *Le manuscrit du copiste*

La copie du dernier état de l'avant-texte par une main étrangère
est l'occasion de deux types d'événements génétiques intéressants.
En recopiant mécaniquement le manuscrit définitif comme le
faisaient les scribes du moyen-âge, le copiste introduit presque
inévitablement des «fautes de lecture» que l'auteur, en relisant,
voit et corrige, ou qu'il n'aperçoit pas. Les erreurs non corrigées à
ce stade pourront encore lui échapper au cours des corrections
d'épreuves et finiront par se retrouver dans la version imprimée :
après la mort de l'auteur, elles seront reconduites d'édition en
édition. C'est beaucoup plus fréquent qu'on ne l'imagine, et il peut
s'agir de fautes très lourdes. Il en subsiste par exemple une bonne
vingtaine dans toutes les éditions actuelles de *Salammbô* de
Flaubert.

■ *Les épreuves corrigées*

Le manuscrit du copiste sert de document de référence à
l'imprimeur pour produire les épreuves qui sont soumises à la
correction de l'auteur. Il peut y avoir plusieurs jeux successifs
d'épreuves comportant à chaque fois des corrections sensibles.
Certains écrivains n'interviennent pratiquement plus à ce stade ;
c'est le cas de Flaubert par exemple qui n'agit que très peu sur les

épreuves d'imprimeur. D'autres écrivains au contraire en font l'occasion de profonds remaniements en passant une convention particulière avec l'imprimeur. C'est le cas de Balzac chez qui, de manière tout à fait originale, la quasi-totalité du travail rédactionnel décrit dans les phases précédentes se condense à ce stade pré-éditorial. L'élaboration purement manuscrite de son roman se résume le plus souvent pour lui à la rédaction initiale d'un canevas (une trentaine de pages) qui fournit la trame générale du récit sous la forme d'un scénario développé. Ce manuscrit est aussitôt envoyé à la fabrication qui l'imprime au centre de grandes pages dotées de larges marges sur lesquelles Balzac intervient par adjonctions et remaniements de structure. Cette épreuve corrigée est aussitôt imprimée, et le travail d'amplification et de réfection structurelle recommence dans les marges de la seconde épreuve. Cette opération peut se reproduire huit ou dix fois de suite (parfois plus) jusqu'à ce que le scénario-canevas de trente ou quarante pages se soit transformé en un véritable roman de trois ou quatre cents pages. En réalité, cette technique balzacienne ressemble beaucoup au «recopiage» de Flaubert, à cette différence près que la «mise au net» de chaque version est ici non autographe. Mais leurs techniques s'opposent aussi : à partir d'un certain seuil d'élaboration globale dans les scénarios développés, Flaubert a tendance à faire évoluer son texte page par page, en allant (d'abord dans le sens d'une amplification, puis dans le sens d'une condensation) vers une version définitive de la page x avant d'aborder l'élaboration de la page $x + 1$; tandis que Balzac, disposant à chaque version de la totalité de son avant-texte mis au net fait évoluer son œuvre en l'amplifiant et en le restructurant à l'échelle d'un tout organique.

■ *Le «bon à tirer»*

Les épreuves fournies par l'imprimeur et corrigées par l'auteur appartiennent à la dernière phase de finalisation de l'avant-texte, mais ce moment pré-éditorial, contemporain de la composition typographique (c'est-à-dire de la fabrication du livre) est encore pleinement un moment avant-textuel. Lorsque l'auteur, après ces multiples jeux d'épreuves, parvient à un état du texte qu'il juge définitif, la tradition veut qu'il signe positivement l'arrêt des transformations par son paraphe personnel apposé sous la mention manuscrite «Bon à tirer». A partir de cet instant, on sort de l'espace génétique de l'avant-texte pour entrer dans l'histoire du texte. C'est à la fois le dernier instant de l'avant-texte et le moment initial de cette dernière phase d'évolution potentielle de l'œuvre qui est la phase éditoriale.

La phase éditoriale

La signature par l'auteur du «bon à tirer» se traduit par la fabrication de la «première édition» du texte qui va donc être publiée et diffusée sous la forme fixée par la dernière épreuve corrigée. C'est déjà le «texte» de l'œuvre, mais ce n'est pas nécessairement le dernier état du texte de l'œuvre. L'œuvre pourra, du vivant de l'auteur, connaître plusieurs éditions à l'occasion desquelles l'écrivain sera en droit, par de nouveaux jeux d'épreuves corrigées, de transformer son texte. Ces transformations qui peuvent être considérables (voir par exemple *La Peau de chagrin* de Balzac) n'ont pas exactement le même statut que celles des manuscrits de travail puisque, dans tous les cas elles affectent des versions concurrentes et également fixes du «même» texte. Ces métamorphoses appartiennent de plein droit au champ des études génétiques, mais elles se distinguent des «états de rédaction» que l'on peut observer dans les trois premières phases où le texte proprement dit n'existait pas encore. Le texte de l'œuvre moderne sera donc conventionnellement établi sur la «dernière édition du vivant de l'auteur», auquel il faudra ajouter les éventuelles corrections autographes que celui-ci peut avoir indiquées pour une future réédition que la mort lui aura finalement interdit de contrôler. Cette image définitive de l'œuvre marque la limite ultime du champs d'investigation propre à l'étude génétique.

3. Génétique textuelle : l'analyse des manuscrits

Méthodes et démarche de la génétique textuelle

Les quatre grandes phases qui viennent d'être décrites dans leurs différents moments permettent de reconstituer chronologiquement la genèse matérielle de l'œuvre, c'est-à-dire de situer chaque élément du dossier des manuscrits sur l'axe de cette évolution qui va des toutes premières indications d'un scénario originaire jusqu'aux corrections de la dernière édition du texte. A partir de ce redéploiement des documents sur l'axe du temps, il devient possible d'interpréter l'ensemble du processus, de donner une signification à chacun de ces choix qui ont été ceux de l'auteur pour inventer son texte et donner forme à son œuvre. Mais, bien entendu, le classement chronologique qui permet l'analyse critique de l'avant-texte n'est pas un donné ; il faut tout d'abord le reconstituer. Ce travail est celui de la génétique textuelle qui se donne pour but de mettre en ordre et de rendre lisible le matériau manuscriptologique sur lequel la critique génétique pourra fonder son étude interprétative.

L'ensemble de ce travail préparatoire, qui peut aboutir à l'édition de l'ensemble, ou plus fréquemment d'une partie du dossier de genèse, se résume à la mise en œuvre successive et complémentaire de quatre grandes opérations de recherche :

– Etablissement du dossier

Il convient tout d'abord de collecter l'ensemble des manuscrits se rapportant à l'œuvre étudiée, c'est-à-dire de rassembler les pièces autographes et non autographes que l'auteur a utilisées ou produites pour créer son texte ; elles peuvent être dispersées dans plusieurs collections publiques ou privées, et dans plusieurs pays. Ce travail d'inventaire et de prospection peut à lui seul demander plusieurs années de recherches et de négociations. Une fois que le généticien a rassemblé toutes ces pièces (en général sous forme de reproductions : photos, photocopies, microfilms, disques optiques, etc.) et qu'il s'est assuré que son dossier est aussi complet que possible, il doit soumettre chacune des pièces à un contrôle d'authenticité (toutes les pièces dites «autographes» sont-elles bien de la main de l'auteur ?), de datation (tous les manuscrits sont-ils de la même époque ? ou a-t-on affaire à plusieurs ébauches du même projet ?) et éventuellement à une recherche d'identification et d'authenticité (par qui les manuscrits «non autographes» du dossier ont-ils été écrits ? par un ami de l'auteur, un secrétaire, un copiste ? etc. Combien y a-t-il de «mains» différentes ? Quel rôle ont joué ces intervenants extérieurs : aide dans la documentation, conseils de régie, corrections ? etc.).

■ *Spécification des pièces*

La seconde opération consiste à classer grossièrement et provisoirement chaque pièce du dossier par espèce (les notes documentaires, les brouillons, le manuscrit définitif, celui du copiste, etc.) et par phase (pré-rédactionnel, rédactionnel, etc.), en réservant un traitement particulier à l'ensemble «brouillons» qui représente le cœur de la genèse. Le principe consistera dans un premier temps à identifier chaque page manuscrite de brouillon par ses relations de similarité avec le texte définitif. Cette opération de classement, à présupposé provisoirement téléologique (posant le texte comme but exclusif du brouillon) permet de ranger les brouillons par liasses : pour la page 10 du texte imprimé, on trouvera par exemple 12 feuillets manuscrits ayant visiblement le même contenu ou un contenu approchant : ce sont les différentes versions de cette page. Pour les retrouver dans le dossier où elles sont conservées le plus souvent sans ordre, il faut évidemment avoir commencé à déchiffrer, au moins par sondages, tous les feuillets.

■ *Classement génétique*

La troisième opération, principalement centrée sur cet ensemble «brouillons», va consister à affiner le premier classement : les différentes versions de la même page seront analysées et comparées en chacune de leurs caractéristiques jusqu'à ce qu'il devienne possible de les situer sur un axe (paradigmatique : de similarité) où elles se suivront selon l'ordre chronologique de leur production. Ce classement donnera pour une page de texte imprimé, une série variable de folios où l'on trouvera successivement le scénario initial, le ou les scénarios développés, les ébauches et brouillons, les mises au net corrigées, le manuscrit définitif. Ce classement paradigmatique une fois effectué pour chaque page de texte imprimé, il ne reste plus qu'à en reconstituer le chaînage en suivant l'ordre du texte définitif. On voit alors apparaître (avec quelques décalages parfois profonds qui expriment les différences entre les diverses «versions» de l'avant-texte) des séquences de manuscrits, de même niveau d'élaboration, qui se suivent le long de l'axe où se succèdent les différentes parties de l'œuvre définitive. Ce sont les syntagmes génétiques : les enchaînements des folios de manuscrit de même type donnant, de manière plus ou moins continue, l'image de ce qu'était l'œuvre entière à chacune des étapes de sa genèse.

Lorsque ces deux classements (sur l'axe paradigmatique pour les états successifs d'élaboration du même fragment ; et sur l'axe syntagmatique pour l'enchaînement de ces différents fragments) sont achevés, on dispose normalement d'un tableau à double entrée où se déploie l'ensemble des manuscrits de travail selon l'ordre de leur genèse. Les autres éléments du dossier (les notes documentaires en particulier) seront ensuite classés en fonction de leur utilisation dans les brouillons : à quel moment de la rédaction l'information est-elle intégrée ? Comment est-elle adaptée ou rejetée ? etc. Enfin, l'ensemble du classement doit, autant qu'il est possible, aboutir à une datation fine de chaque folio de manuscrit étudié.

■ *Déchiffrement et transcription*

Le classement génétique ne peut être mené à bien sans un déchiffrement intégral des documents. En fait, classement et transcription sont deux opérations qui ne peuvent être entreprises qu'en parallèle et simultanément. C'est le déchiffrement des folios qui permet de comparer, dans le détail, les différents états d'un même fragment et donc de les classer les uns par rapport aux autres ; mais en même temps, c'est le classement relatif de ces différentes versions qui permet de résoudre les problèmes de déchiffrage les plus ardus. En effet, si un même passage est récrit successivement cinq ou six fois au brouillon, le classement géné-tique fournira un moyen très précieux pour lire ce qui se dissimule par exemple, dans une de ces versions, sous une épaisse rature à l'encre, ou pour déchiffrer un mot ajouté en tout petit entre deux lignes. Pour lire le mot devenu illisible sous la rature, il suffit en général de se reporter à l'état antérieur du texte où ce mot était encore écrit en clair puisque l'auteur n'y avait pas encore renoncé ; et pour déchiffrer la petite adjonction interlinéaire, il suffit inver-sement de se reporter à l'état ultérieur où elle sera, le plus souvent, intégrée en clair dans la nouvelle version du texte manuscrit.

Bref, classement et déchiffrement sont deux opérations insépa-rables qui doivent être menées à bien sur l'intégralité des pièces manuscrites, et qui, en tant que telles, constituent l'essentiel de l'investigation propre à la génétique textuelle. Malgré une indénia-ble sensation d'aventure intellectuelle et quelques trouvailles parfois bouleversantes au cours de l'exploration, l'ampleur et la difficulté de l'entreprise n'ont d'égal que son austérité, ce qui a découragé à l'avance plus d'un critique, mais ce qui met aussi la génétique textuelle à l'abri des effets de mode. C'est cette obsession d'exhaustivité et de rigueur qui distingue le plus nettement la nouvelle génétique textuelle des anciennes études de genèse, condamnées par éclectisme à de perpétuels constats d'impossibilité. Ainsi, pour ne parler que de l'exemple flaubertien déjà utilisé plus haut – *La Légende de saint Julien* – dont les brouillons étaient connus et disponibles depuis longtemps, c'est bien l'exigence d'intégralité dans le classement et dans la transcription qui a, récemment, permis de réviser du tout au tout l'avis traditionnel des spécialistes. Il y a une trentaine d'années, en 1957, (*Trois Contes*, texte établi et présenté par René Dumesnil, Les Textes français, les Belles Lettres, Paris), ces manuscrits étaient présentés comme «des ébauches absolument indéchiffrables (…) illisibles non seulement à cause des ratures, mais parce qu'il est presque impossible d'en rétablir l'ordre et parce qu'on y relève trop de lacunes.» Leur récente analyse a permis de démontrer qu'ils ne présentaient aucune lacune repérable ; leur déchiffrement a permis de réduire les illisibles à une proportion négligeable (3 à 4 %) ; et le classement général de ces brouillons a fait apparaître l'image parfaitement ordonnée d'une rédaction certes complexe mais tout à fait logique et continue. L'erreur de Dumesnil était d'avoir voulu comprendre les brouillons de l'œuvre par simples sondages, sans entrer dans la logique même de l'écriture de Flaubert. Apercevant ainsi qu'une grande quantité de ces manuscrits étaient barrés d'une grande croix, Dumesnil en avait conclu : «Il y a deux ébauches absolument indéchiffrables de ce conte…». Mais l'étude systématique des brouillons a montré tout au contraire que ces croix étaient utilisées par Flaubert pour marquer les pages qu'il avait récrites sous une forme plus élaborée. L'auteur n'a pas écrit une première version qu'il aurait barrée, puis une nouvelle qui serait restée sans biffure. Il a écrit son texte en suivant les indications d'un plan de programmation très précis, rédigeant son récit page après page, et barrant au fur et à mesure les pages saturées de ratures lorsqu'il les avait recopiées pour les corriger encore sur de nouveaux feuillets. Il fallait comprendre cette technique répétitive de l'écriture flaubertienne pour pouvoir s'y retrouver dans la jungle apparemment aberrante des brouillons. Mais pour y voir clair dans le travail de l'auteur, il fallait s'être donné pour exigence de procéder à l'analyse complète des pièces autographes du dossier.

Le déchiffrement des manuscrits est fixé dans une tran
qui pourra, le cas échéant, être publiée afin que le matériau
génétique soit rendu disponible à la communauté des critiques qui
auront alors la possibilité de s'y reporter directement pour leurs
recherches interprétatives, sans avoir à refaire l'énorme travail
d'établissement, de classement et de déchiffrement du dossier.

Pour transcrire des manuscrits de rédaction, il est indispensable
de bien faire apparaître les caractéristiques propres à l'avant-texte
que sont notamment les «ratures» (fragments de texte, phrases,
expressions ou mots barrés par l'auteur) et les «adjonctions»
(fragments de texte, phrases, expressions ou mots ajoutés par
l'auteur, en interligne ou dans les marges du feuillet). Une des
solutions les plus communément adoptées est celle du code de
transcription. On utilisera par exemple les soufflets <…> pour
isoler les éléments manuscrits ajoutés, et les crochets […] pour les
éléments biffés, raturés, ou effacés par l'auteur. Les codes les plus
simples sont toujours les plus efficaces pour la lecture, mais ils ont
évidemment le désavantage de simplifier l'image du document
original. On peut par exemple estimer que la disposition du texte
manuscrit sur le feuillet joue un rôle déterminant. Dans ce cas, le
généticien pourra choisir la solution de la transcription «diploma-
tique» qui consiste à reproduire le document en clair et «à
l'identique», en respectant approximativement la disposition du
texte que l'on trouve sur l'original, avec ses blancs, ses renvois, ses
marges, ses hauts de page, etc. L'inconvénient de cette méthode,
optimale du point de vue scientifique, c'est qu'elle occupe beaucoup plus d'espace que celle de la transcription simplifiée avec
code.

En fait le problème ne se pose pas exactement avec la même
acuité pour tous les documents génétiques. Il est extrêmement
difficile à résoudre pour les «brouillons» proprement dits, surtout
dans le cas des manuscrits intensément corrigés comme ceux de
Flaubert chez qui la page peut être littéralement saturée de ratures
et d'adjonctions. Mais le problème est plus facile à résoudre pour
la transcription d'autres types de documents de rédaction : si l'on
veut éditer les dossiers de recherches documentaires d'une œuvre,
les «carnets de travail» de l'auteur par exemple, on pourra certes
rencontrer de grosses difficultés de déchiffrement et de datation,
mais ces manuscrits, peu raturés et dénués en général d'adjonctions importantes, poseront beaucoup moins de problèmes de

restitution que les brouillons ; il en va de même pour la plupart des
«plans», «scénarios», «notes de régie», «mises au net», etc., que
l'écrivain a pris soin de rédiger le plus souvent assez proprement
puisqu'il s'agissait de documents qu'il devait lui-même pouvoir
relire facilement pour son travail.

Les techniques d'expertise scientifique

En règle générale, un dossier de manuscrits, même très complexe, peut être entièrement déchiffré et classé par la simple mise
en œuvre des quatre opérations précédemment décrites, sans autre
secours qu'une bonne connaissance de l'écriture de l'auteur et une
constante vigilance dans l'analyse des documents. Mais certains
dossiers peuvent comporter des pièces posant certains problèmes
d'identification, de classement ou de datation hors de la portée de
l'expertise directe. Des techniques spécifiques, utilisant les ressources des «sciences exactes», ont été mises au point pour les
résoudre. Comme dans une enquête policière, ce sont souvent des
indices matériels qui servent alors à fournir les informations
indispensables.

■ *La codicologie*

C'est la science des supports matériels de l'écriture : encres,
crayons, papiers, filigranes, etc. La composition chimique d'une
encre, la présence dans le papier utilisé par l'auteur d'un type
particulier de filigrane (tous les papiers en étaient pourvus jusqu'au XXe siècle), la nature même de ce papier (son épaisseur, sa
couleur, sa dimension, etc.) peuvent devenir des indices particulièrement précieux pour classer et dater des documents problématiques. En se référant à une base de données où se trouvent
enregistrées toutes les informations concernant la provenance
géographique et les dates de production des filigranes utilisés par
les fabriques de papier au XIXe siècle, on pourra par exemple
établir que tel manuscrit, écrit sur un papier italien produit à Milan
entre 1842 et 1865, ne peut pas être antérieur à 1842 et a
vraisemblablement été écrit pendant ou après le voyage en Italie
fait par l'auteur en 1857... Un papier peut évidemment être
conservé très longtemps par l'écrivain avant d'être utilisé, mais le
filigrane permet en tout cas d'établir une date limite en amont qui,

croisée avec les informations biographiques dont on dispose, peut se révéler très précieuse pour étayer des hypothèses de chronologie, notamment dans le cas de dossiers comportant des pièces écrites à des périodes très différentes.

■ *L'analyse optique : la technique laser*

Cette technique mise au point par un laboratoire d'optique du CNRS repose sur l'utilisation de l'imagerie optique. En combinant les ressources d'un faisceau laser, d'un hologramme, d'un ordinateur et de quelques modèles mathématiques, il est devenu possible d'apporter des réponses scientifiquement fiables sur plusieurs problèmes fondamentaux en génétique textuelle. Ce dispositif permet notamment de détecter les faux, de déterminer si un manuscrit a été écrit d'un bout à l'autre par la même personne, s'il a été écrit de manière continue ou discontinue. Si l'on dispose d'un nombre suffisant d'échantillons datés d'une écriture, il est en outre devenu possible de suivre le vieillissement de la graphie au cours de la vie de l'écrivain, et par suite, de dater (à deux ans près) un manuscrit de manière automatique. Des manuscrits de Heine, de Claudel et de Nerval ont été analysés et les résultats de ce traitement optique-numérique sont venus enrichir, quelquefois en les modifiant, la compréhension que la critique littéraire avait de leur œuvre. Le traitement hybride consiste à faire traverser le microfilm négatif d'un manuscrit par le faisceau laser : la figure de diffraction obtenue, qui contient sous la forme d'un spectre lumineux la plupart des caractéristiques individuelles de l'écriture, est captée par une caméra électronique, digitalisée puis analysée numériquement.

■ *L'analyse informatique*

Les opérations qui interviennent au cours d'une genèse sont si nombreuses et souvent si complexes que l'approche directe ne peut porter que sur des corpus assez restreints. En revanche l'outil informatique rend possible le traitement de corpus de n'importe quelle dimension. En s'inspirant des raisonnements, méthodes et concepts de la linguistique, et en schématisant les opérations génétiques par le croisement de deux axes, «paradigmatique» (lieux variants) et «syntagmatique» (chaînes séquentielles), il a été possible de construire plusieurs logiciels servant à réaliser les premières «éditions automatiques» de manuscrits, et les premiers

«dictionnaires de substitution». Beaucoup plus que l'édition traditionnelle en livres (limitée en dimensions, en moyens logiques, et
très coûteuse) c'est la saisie informatique qui paraît d'ores et déjà
la meilleur perspective pour le développement des recherches sur
les grands corpus : elle devrait permettre de jeter les bases d'un
véritable calcul en matière de genèse. La création de bases de
données assez larges pour exploiter de nombreux documents de
genèse devrait aboutir, dans un avenir assez proche, à une refonte
complète des études du «style» (calcul systématique des transformations) et des structures de l'œuvre littéraire. Avec sans doute, à
l'horizon, de nombreuses applications techniques dans la maîtrise
des traitements de l'écriture en général.

4. La critique génétique : Comment étudier la genèse de l'œuvre ?

Classement et interprétation : les risques du finalisme

Cette structuration du champ des études génétiques est nécessaire au classement chronologique et typologique des manuscrits :
leur enchaînement sur l'axe de la genèse doit être reconstitué aussi
précisément que possible pour que l'ensemble puisse être interprété. Le classement et les transcriptions impliquent, pour être
menées à bien, une certaine vision finaliste de «l'avant-texte», et
l'opération consiste nécessairement à «faire comme si» chaque
brouillon successif représentait une étape vers le but final qui est
le texte. Cette représentation heuristique est nécessaire, mais elle
n'est pas suffisante pour décrire la réalité des conflits, des hésita-
tions, des circonstances fortuites, de tous ces «possibles», souvent
fort éloignés du texte, qui constituent aussi, et peut-être principalement, l'univers de la genèse. De ce point de vue, il est essentiel,
notamment au stade de l'interprétation, de se garder de toute
réduction téléologique et de mesurer, aussi précisément que
possible, le rôle de «surplus» créatif que représente, dans la genèse
de l'œuvre, la trace insistante des autres directions qu'elle aurait pu
prendre, qu'elle a effectivement prises ou essayées avant de se
resserrer sous la forme que nous lui connaissons. En effet l'un des

intérêts essentiels de cette plongée dans le passé du texte est d'introduire le critique dans un univers mobile où rien n'est jamais définitif, où l'écriture reste à chaque moment traversée par d'innombrables tentations souvent fort différentes des options qui, après réduction des divergences et des contradictions, mèneront au texte final de l'œuvre. Un roman au brouillon contient assez facilement une demi-douzaine d'intrigues différentes et des centaines de développements, parfois incompatibles, où le destin des personnages, le sens du récit, l'atmosphère narrative peuvent connaître les plus surprenantes métamorphoses.

C'est pour préserver toutes ses chances à cette littérature potentielle que Jean Levaillant insiste sur la nécessité d'une nouvelle lecture, résolument affranchie du présupposé causal :

> «Contrairement à ce qui se passe dans le domaine des êtres vivants, la genèse d'un poème ou d'un roman n'obéit pas entièrement à un programme pré-existant, et n'est régie ni par un processus unique, ni par un finalisme simple, ni même par le développement harmonieux d'un modèle ; la perte, la dérive, l'imprévu ont une fréquence hautement plus probable que l'économie, la linéarité assurée, le prévisible. Genèse non pas organique, mais relevant plutôt de la combinatoire, d'une logique autre que celle du déterminisme de cause à effet ; logique devant intégrer le vide aussi bien que le paradoxe du «tiers inclus» : non pas un être, mais une multiplicité de composants. (...)
>
> La violence ou le vide, parfois le «temps mort», du brouillon sont en rapport avec l'énergie du désir et de l'écriture, avec l'imprévisible des significations à venir, et les «interpréter» seulement comme du texte pauvre ou incohérent ou simplement inachevé, c'est manquer la vérité du brouillon, car le brouillon n'est ni achevé, ni non plus inachevé : il est un espace autre. Le décalage entre lui et le texte n'est ni de l'ordre du progrès, ni de l'ordre de l'achèvement : il est de l'ordre de l'altérité, de la fondamentale différence entre écriture et texte. (...)
>
> L'autre impasse consiste à organiser ou à articuler la lecture du brouillon en fonction du texte «définitif» : illusion finaliste proposée par l'histoire littéraire traditionnelle. Si nous partons du résultat final, nous pouvons en effet sans beaucoup de mal remonter vers le commencement et justifier toutes les étapes d'une genèse qui transforme le chaos en harmonie : le sens est défini au départ, dans le texte ; nous le retrouvons ensuite dans le brouillon : le parcours est tautologique. Et arbitraire, car à chaque prétendue étape, en réalité d'autres rencontres pouvaient se produire et les charges de signification pouvaient frayer des directions diverses. Si l'une d'elles a triomphé et s'est maintenue, c'est pour des motifs

tenant aussi bien au réseau symbolique qu'au désir ou à ce que provisoirement on peut appeler hasard, disons paradoxalement le hasard des contraintes (car les contraintes peuvent produire, par des effets de chaîne, des répercussions si variées qu'elles ne simplifient pas, mais complexifient excessivement la genèse), ou encore à des associations traduisant des strates enfouies, un immémorial venu d'ailleurs, d'un en-deçà de la mémoire textuelle. La genèse n'est pas linéaire, mais à dimensions multiples et variables. (…) Le brouillon ne raconte pas la «bonne» histoire de la genèse, l'histoire bien orientée par cette fin heureuse : le texte, le brouillon ne raconte pas, il donne à voir : la violence des conflits, le coût des choix, les achèvements impossibles, la butée, la censure, la perte, l'émergence des intensités, tout ce que l'être entier écrit – et tout ce qu'il n'écrit pas. Le brouillon n'est plus la préparation, mais l'autre du texte [1].»

Cette critique radicale du finalisme, qui appelle la constitution d'une nouvelle approche du phénomène littéraire, et par conséquent une redéfinition des méthodes critiques, est présente, de manière plus ou moins affirmée, chez la plupart des théoriciens de la genèse. Certains, comme la poéticienne R. Debray-Genette, proposent des éléments de réponse en indiquant les chemins que pourrait prendre ce travail de conceptualisation : par exemple la création d'une «poétique de l'écriture», complémentaire de la «poétique du texte», qui saurait tout à la fois respecter l'identité problématique du brouillon et rendre raison des relations temporelles finalisées qui existent entre brouillon et texte final de l'œuvre. D'autres critiques, comme le «textanalyste» Jean Bellemin-Noël (l'un des premiers théoriciens de la critique génétique, à qui l'on doit entre autres la notion même d'«avant-texte»), voit au contraire dans l'étude de l'avant-texte la possibilité d'une approche non finalisée de l'œuvre, parfaitement conforme aux présupposés scientifiques de la psychanalyse.

Genèse et psychanalyse

Pour des raisons qui tiennent aux présupposés mêmes de la critique d'inspiration psychanalytique, le problème de méthode posé par la genèse (comment construire le lien entre la dynamique temporalisée de l'écriture dans les manuscrits et la structure

---

1. Jean Levaillant, «Ecriture et génétique textuelle» in *Valéry à l'œuvre*, Presses Universitaires de Lille, 1982.

signifiante du texte de l'œuvre ?) se trouve ici évacué dès le départ.
Puisque l'Inconscient est «non temporel», la temporalité causale
des brouillons et de la genèse n'a pas plus d'importance que la
temporalité biographique de la vie de l'écrivain lui-même. On
peut, en général, ne pas en tenir compte, le désir trouvant toujours
son heure pour redire la même chose. Ce point de vue, conforme
à la théorie freudienne, consiste à déplacer toute la productivité et
toute la temporalité dans cet espace de l'Inconscient qui est à la fois
«non temporel», et, si l'on veut, «hyper-temporel» puisque tout s'y
conserve et y reste disponible. C'est parce que la psychanalyse,
dans les notions de «refoulement», «censure», «après-coup», etc.,
fait du «temps» la substance même des processus, qu'elle n'a pas
besoin de les rechercher dans les traces objectives de la genèse.
Dans une telle perspective, les brouillons, les manuscrits seront
conçus non comme des objets, mais comme une extension utile de
ce sujet problématique qu'était le texte. Le texte présentait la
difficulté de n'offrir au textanalyste que des conditions très limitées pour l'exercice de «l'association libre» qui permet d'interpréter. Les brouillons seront l'occasion de construire les chances
d'une psychocritique beaucoup plus proche de la relation analytique en offrant quelquefois à l'herméneute ce «mot nouveau» dont
s'enrichit l'interprétation des phénomènes inconscients. Mais,
comme on le voit, cette attitude théorique consiste à faire de
l'avant-texte un véritable «sujet», une sorte d'équivalent du «patient» :

> «Le problème fondamental de la lecture psychanalytique est
> celui-ci : quand je lis du texte avec le souci de repérer les
> défaillances, les distorsions du discours (lacunes, oublis, supplé-
> ments, etc.) qui révèlent une pression du désir inconscient, il me
> manque (…) les associations du patient. Sans elles, il y a risque de
> n'aboutir qu'à une «traduction» symbolique. L'analyste interprète
> un rêve, par exemple, seulement si l'homme au divan dit en toute
> liberté à quoi le font penser tel mot, tel personnage, tel décor, tel
> détail. Or, un texte ne peut répondre à des questions par d'autres
> mots que ceux qui le constituent ; ses phrases sont comptées, mais
> leur ordre, leurs inflexions, leurs effets rhétoriques, peuvent être
> interrogés, non sans grandes difficultés. Le critique regrette à
> chaque instant de ne pouvoir extrapoler d'une série verbale vers
> une autre, et il est contraint de substituer ses propres concaténa-
> tions à celles qui manquent (…) : exercice périlleux, où l'on n'est
> jamais sûr de ne pas «fantasmer» à côté du texte en voulant se
> mettre à la place du texte. Il y a heureusement des correctifs à cette

(…) mais pour le chercheur rien ne vaut un mot
ui s'ajoute à la série en lui apportant un surcroît
. Ce mot, en général, il a été refoulé, on ne le trouve
, du moins en entier, lisible, bien visible. Et il arrive que
xte nous permette de retrouver ce mot perdu. De même
qu'il peut s'agir pour l'homme d'un nom qu'il a prononcé ou
entendu prononcer étant enfant dans des circonstances douloureu-
ses qu'il ne veut plus se remémorer, de même telle formulation que
l'écrivain a raturée pour lui en substituer une autre vient se mettre
sur la voie du chaînon manquant. Cette fois, le jeu des associations
n'est plus laissé à la diligence, à la discrétion entières du lecteur
(…) il y a un répondant attesté, un sentier plus rapide et plus sûr
vers une hypothèse illuminante. Ce peut être un nom, une scène,
une figure de syntaxe, un adjectif subtilement égaré, parfois une
lettre qui insiste, ou une syllabe, une chose minuscule porteuse
d'une signification démesurée. (…) Trouver dans l'avant-texte des
pièces supplémentaires permettant de rendre moins flou ce puzzle
de l'inconscient qui ne sera jamais achevé, c'est un encouragement
(…), la promesse de nouvelles trouvailles en même temps que la
justification de chercher d'autres façons de travailler en face des
textes [1].»

Genèse et poétique

C'est sans aucun doute chez les narratologues et les poéticiens
que l'interrogation sur les rapports entre critique textuelle et
critique génétique a, ces dernières années, été menée avec le plus
grand profit. L'importance des recherches de génétique textuelle
sur les dossiers de plusieurs grands romanciers (Proust, Balzac,
Flaubert; Zola, etc.), la publication d'importants documents de
genèse portant sur des œuvres narratives (Brouillons, Carnets de
travail ou d'enquêtes, Dossiers préparatoires, etc.) ont largement
contribué à fournir aux narratologues des moyens concrets de
réflexion qui étaient en rapport avec leur méthode et leur objet. A
lui seul, le «cas Flaubert» a d'ailleurs servi de «test» à bien des
expérimentations théoriques dont on voit aujourd'hui apparaître
les premières retombées méthodologiques. Dans les «Etudes
génétiques» de *Métamorphoses du récit*, R. Debray-Genette utilise précisément l'exemple flaubertien (et en particulier le cas

---

1. Jean Bellemin-Noël, «Avant-texte et lecture psychanalytique» in *Avant-texte,
Texte, Après-texte*, Editions du CNRS, Paris et Akadémiai Kiado, Budapest,
1982.

complexe d'*Hérodias*) pour bâtir une proposition définitionnelle qui consiste à distinguer, dans l'objet de la critique génétique, entre une exogenèse et une endogenèse :

> «Chez Flaubert en particulier, la lecture, le choix et la réécriture insistante des documents à la recherche immédiate de structures et de tournures stylistiques propres fournissent un exemple assez rare de ce que je suis convenu d'appeler *exogenèse*. Ce terme ne recouvre pas la seule étude des sources, mais la façon dont les éléments préparatoires extérieurs à l'œuvre (en particulier livresques) s'inscrivent dans les manuscrits et les informent, en tous les sens du mot, d'une première façon (...) Flaubert évite les contradictions du roman historique – document ou fiction – par le choix esthétique de la fictionnalisation des documents. De page en page se nouent les éléments de son récit, se construit une sorte de symphonie documentaire où chaque détail est repensé, déplacé, narrativisé. Flaubert n'est pas comme le prétendait un peu vite Valéry, enivré par l'accessoire aux dépens du principal : tout élément d'exogenèse, lentement phagocyté, devient un élément spécifique de l'*endogenèse* – entendons par ce terme la coalescence, l'interférence et la structuration des seuls constituants de l'écriture [1].»

Cette opposition éclairante entre l'exogenèse (ou sélection et appropriation des sources) et de l'endogenèse (ou production et transformation des états rédactionnels) se retrouve sous des formes approchantes chez la plupart des théoriciens de la critique génétique, quelle que soit par ailleurs leur appartenance critique. En sociocritique, par exemple, on reconnaît le même type de distinction, sous la plume d'H. Mitterrand, entre «génétique scénarique» ou avant-textuelle (dans laquelle ce critique situe les chances d'une histoire génétique de la culture), et «génétique manuscriptique», ou textuelle (voire plus loin, «Genèse et histoire culturelle»). Mais l'un des points essentiels de l'analyse de R. Debray-Genette semble résider dans la complémentarité qu'elle établit entre ces deux horizons de recherche génétique. Les manuscrits démontrent le lien productif qui à la fois distingue et rend solidaires ces deux pratiques de l'écrivain. Endogenèse et exogenèse doivent également être représentées dans l'indispensable refonte des méthodes critiques qui consisterait à compléter la critique du texte par une critique de l'écriture. C'est à ce prix que pourrait exister notamment une poétique génétique :

---

1. *Flaubert à l'œuvre*, Flammarion, 1980.

«D'un point de vue critique, l'écriture, constitutive d'elle-même, n'a ni origine ni fin assignables. L'écrivain n'est institué que par le fait qu'il écrit et qu'il se lit lui-même. Dès lors qu'un autre le lit, ou qu'il se lit pour un autre (et, bien sûr, sa lecture est toujours et déjà informée par celle des autres), il cherche à ordonner cette écriture en texte. C'est pourquoi, d'un point de vue génétique, et contrairement à ce que dit Barthes, il semble utile de distinguer les phénomènes d'écriture des phénomènes de textualisation, et de considérer le texte comme le produit historique de l'écriture, organisée en commencement et fin, voire finalité. C'est justement entre l'écriture et le texte qu'il y a du jeu et il faut que les méthodes critiques en rendent compte. Elles prouvent alors qu'elles peuvent se soumettre à ce jeu, ou bien, montrant leur propre faille, leur propre béance, se remettre en jeu. (…) La génétique ne détruit pas les principes d'une poétique narrative. Mais elle mine l'assurance que pourrait donner le texte final, plus souvent qu'elle ne la confirme. Elle rend sensible, non seulement à la variation, mais, plus encore, et c'est en cela qu'il peut exister une poétique spécifiquement génétique, au(x) système(s) de variations. Ces systèmes peuvent être différents selon qu'il s'agit d'un ouvrage ou de toute l'œuvre. D'autre part, le narratologue sait qu'il ne peut s'en tenir à sa seule discipline. Enfin il lui faut prendre en compte une poétique de l'écriture tout autant qu'une poétique du texte. A supposer que l'on définisse comme texte tout ce qui montre une certaine aptitude à fabriquer une structuration interne assez solide pour résister aux forces des structures préexistantes (linguistique, sociale, psychique…), l'écriture, au contraire, se définit comme ouverte, fluide, perméable à toutes les invasions étrangères, aux excroissances comme aux dégénérescences : elle évite la récurrence productive. On voit donc à l'œuvre, dans ce qui est cette fois-ci le travail de l'avant-texte, c'est-à-dire celui du critique, deux modes de poétiques, divergents et concomitants. Richard attribue aux obsédés de la structure, aux spécialistes de l'abstraction, le souci constant de la «coordination des antagonismes essentiels» ; il me semble pourtant, ou pour cette raison même, que tel est l'intérêt de l'union de la poétique et de la génétique, d'établir cette coordination, sans effacer les antagonismes [1].»

Génétique et linguistique

La critique d'inspiration linguistique a joué un rôle déterminant dans la mise en œuvre de notions spécifiques pour traiter ce

---

1. Raymonde Debray-Genette, *Métamorphoses du récit*, coll. Poétique, Seuil, 1988.

matériau récalcitrant qu'est l'écriture à l'état naissant. La plupart des moyens dont dispose le généticien pour classer les brouillons (similarité sur l'axe paradigmatique/concaténation sur l'axe syntagmatique) ou pour interpréter les micro-transformations scripturales ont été empruntés presque directement à l'arsenal conceptuel de la linguistique. En ce sens les sciences du langage ont joué, dans l'apparition et le développement de la critique génétique, un rôle assez semblable à celui qu'elles ont pu tenir dans la plupart des sciences de l'homme. Mais par un effet en retour qui ne s'est pas manifesté dans les autres cas, la linguistique n'est pas sortie indemne de cette heureuse et indispensable assistance à la jeune critique génétique. Confrontés au dynamisme opaque et éclaté des brouillons et des documents de genèse, les linguistes y ont assez vite reconnu une «terra incognita» sur laquelle leurs instruments familiers restaient le plus souvent mal adaptés ou inopérants. L'objet de la critique génétique n'aurait pu se constituer sans les moyens d'approche de la linguistique, mais cette constitution se traduit aujourd'hui par une exigence théorique nouvelle dans les sciences du langage où aucun des systèmes formels d'analyse disponibles ne paraît capable de s'appliquer utilement au matériau génétique. Si cette exigence pouvait être satisfaite, il est clair que la linguistique verrait s'ouvrir un champ à peu près illimité de recherches qui la conduiraient, aux confins des sciences cognitives et de l'esthétique, à un renouvellement essentiel de ses moyens théoriques :

> «Les modèles linguistiques existants sont inaptes à rendre compte de la genèse textuelle. Une théorie de la production écrite, ou encore une «writing act theory» qui viendrait compléter la «speech act theory», est entièrement à créer. Ce dont elle a besoin, entre autres, c'est d'une notion de scripteur qui soit différente du locuteur idéal de la grammaire générative et différente également du locuteur-stratège omniscient de la linguistique pragmatique. Cette théorie doit pouvoir rendre compte de la production réelle des énoncés, au lieu de recourir, comme le font les théories de l'énonciation, à des reconstructions abstraites. Enfin et surtout, une telle théorie doit intégrer les spécificités de l'acte d'écrire. Ceci implique par exemple que le seul paramètre du temps qui régit la production orale soit remplacé par un double paramètre spatio-temporel susceptible d'appréhender l'espace graphique où l'écrit prend progressivement place. En outre, le principe du dialogisme, propre à l'oral, est à remplacer par une interlocution où l'auteur est alternativement scripteur et lecteur. Enfin, l'alphabet ne suffit pas

comme source d'information, il faut y ajouter toute sorte d'autres indices, tels les signes de ratures et d'ajouts, la position des unités dans l'espace, les variations de la graphie, etc. Ceci étant posé, il ne peut s'agir ni de nier la valeur des modèles existants ni de créer un modèle *ex nihilo*. C'est plutôt d'un déplacement qu'il est question, d'un changement de terrain, mais dont la condition est le maintien des principes méthodologiques de la linguistique : ne peut être objet d'analyse et d'interprétation que ce qui est exprimable en termes de relation, donc de similarité ou de différence.

C'est en adaptant ces principes théoriques à la réalité complexe des manuscrits qu'on ouvre une voie nouvelle et proprement scientifique à l'analyse de la production écrite. Son originalité en même temps que sa force résident dans le fait de mettre à la place d'un à-peu-près intuitif de description la rigueur incontestable d'une construction. Il s'agit en effet d'ordonner les faits observables en autant d'opérations successives qui seules rendent compte de l'aspect dynamique de la production. Pour ce faire, une série d'opérateurs a été mise au point : on citera à titre d'exemple la distinction entre lieux variants et lieux invariants, entre variante d'écriture et variante de lecture, entre variante liée et variante non-liée, entre segment définitivement biffé et segment différé, entre ambiguïté grammaticale et transparence textuelle, entre interruption et inachèvement. C'est grâce à ces nouveaux paramètres que l'obscur «mythe de la création» finira par laisser la place à la connaissance exacte des opérations cognitives, langagières et poétiques qui président à l'acte d'écrire [1].»

Genèse et sociocritique

A quelles conditions et dans quelles limites la critique génétique peut-elle contribuer à l'élaboration d'une histoire des processus culturels ? Quel sens donner à l'ambition de saisir génétiquement la trace de l'environnement et des processus socio-historiques dans les manuscrits, de poser l'hypothèse théorique d'une «sociogenèse» ? A quel type de recherche génétique une telle démarche peut-elle le plus naturellement se relier ? Ce sont les questions auxquelles répond ici H. Mitterrand en examinant les chances que pourrait avoir la génétique de se constituer, dans le champ littéraire et textuel, en archéologie des temps présents :

---

1. Almuth Grésillon, «Sciences du langage et genèse du texte» in *La Naissance du texte*, publication préparatoire du colloque international du CNRS «Archives européennes et production intellectuelle», Paris, 1987. Actes publiés chez J. Corti, 1989.

«On comprend bien la tendance qui porte la critique génétique, parce qu'elle situe son objet au plus près de ce qui naît, voire de ce qui germe d'une pensée et d'une écriture, à vouloir saisir, du même coup, dans le tout premier jet – comme on dit – d'un manuscrit, et au-delà du soliloque individuel, les symptômes d'une modification de la pensée, des idéaux et des goûts collectifs, les premières traces d'une transformation de la culture de référence. C'est une tendance à la fois justifiée et aventureuse, et qui ne peut donner naissance qu'avec une infinie prudence à ce qui deviendrait une génétique culturelle, complémentaire de l'histoire culturelle comme la génétique littéraire – ou étude de tous les aspects de la genèse des œuvres – l'est de l'histoire littéraire.

Tendance justifiée parce que, nous le savons bien, le discours individuel, surtout dans ses phases de tâtonnement, est nourri des lieux, des préimposés et des présupposés du discours collectif ; (...) il n'est point de sémantique innée, ni de verbe neuf, mais toujours une sémantique héréditaire, héritée des parents, des maîtres, des compagnons de classe, en tous les sens du mot classe. Les premières lignes d'une ébauche ou d'un scénario, les matériaux de l'avant-texte, dans toute la mesure de leur relative spontanéité, de leur relative liberté par rapport aux contraintes et aux restructurations qui s'imposeront ensuite, sont donc le contact le plus direct, et souvent le plus franc, le plus cru (avant les habillages de l'œuvre achevée) avec ce qui se dit dans le discours social, et éventuellement avec ce qui s'y murmure et qui annonce de nouveaux thèmes. (...) Tendance aventureuse, à l'inverse, parce que donner cette dimension à l'analyse génétique, c'est à la fois l'élargir de manière excitante et prendre de gros risques. Car la textualité de référence est infinie. Où poser les limites ? Où chercher les liens et les croisements pertinents ? Comment baliser l'espace de la textualité antérieure contemporaine ? Comment mesurer l'impact d'une parole isolée sur la parole collective ? Comment domestiquer le concept si séduisant, mais si flou d'*intertexte* ? (...) La critique génétique offre à cet égard des garde-fous. Elle a ceci de commun avec l'archéologie qu'elle met au jour les strates matérielles d'une histoire : l'histoire d'une pensée, d'un langage, dans la matérialité de ses mots et de ses configurations. C'est une garantie contre l'incertitude et la divagation. Après tout, si elle a de nos jours quelques succès, c'est en raison de son exigence philologique de principe, parce que nous sommes tous un peu revenus des grandes généralisations géniales et improbables, en tout cas ni vérifiables ni falsifiables. (...) Si l'on admet qu'il existe au moins deux sortes de génétiques littéraires, la génétique scénarique ou avant-textuelle, qui étudie tous les documents autographes ayant joué un rôle dans la conception et la préparation de l'œuvre, et la génétique manuscriptique, ou scripturale, ou textuelle, qui étudie les variations du manuscrit de

rédaction, il me semble que c'est la première qui offre les meilleu-
res ressources pour une réflexion sur le rapport entre critique
génétique et histoire de la culture. C'est là qu'on peut d'emblée
tenter de saisir quelques unes des relations génératives qui unissent, dans une synchronie immédiatement antérieure à la naissance de l'œuvre, la série des faits historiques, la série des
discours, et la production du texte [1].»

Conclusion : l'avenir d'une problématique

A la différence des autres méthodes présentées dans cet ouvrage, la critique génétique n'a derrière elle qu'une quinzaine
d'années d'histoire. C'est une science jeune et en pleine expansion
qui doit encore faire face à des exigences de conceptualisation.
Les notions qu'elle a forgées et qu'elle continue à inventer pour
maîtriser son objet, sont d'autant plus difficiles à mettre au point
qu'elles engagent la totalité d'un rapport entièrement neuf au
phénomène textuel et littéraire. En s'interrogeant sur le «secret de
fabrication», sur le processus de création et sur la dynamique de
l'écriture, beaucoup plus que sur le résultat textuel, la critique
génétique ne se place pas exactement au même plan que les autres
discours critiques. Ce décalage doit être pris au sérieux. Si la
critique génétique ouvre le champ de ses découvertes à la totalité
des discours critiques en leur fournissant par exemple sous la
forme d'éditions génétiques, un moyen précieux de vérifier dans
les manuscrits la pertinence de leurs interprétations, c'est avec l'es-
poir que ces méthodes l'aideront sectoriellement à mieux définir
ses propres moyens d'investigation. Mais la génétique textuelle et
la critique génétique n'entendent pas se borner à un rôle de
méthode auxiliaire. Les manuscrits démontrent tout à la fois le
bien-fondé de la plupart des méthodes de critique du texte et
l'urgence d'une refonte notionnelle chez chacune d'entre elles si
elles souhaitent se rendre capables d'interpréter les phénomènes

---

1. Henri Mitterand, «Critique génétique et histoire culturelle» in *La Naissance du texte*, ensemble réuni par Louis Hay, José Corti, Paris, 1989.

dynamiques et temporels qui caractérisent la genèse. Les études génétiques menées depuis une dizaine d'années sur quelques grands corpus semblent mettre en évidence le caractère synthétique de ces phénomènes : une transformation importante dans un brouillon n'est jamais interprétable comme l'effet exclusif d'un désir inconscient (textanalyse), ou d'une inscription socio-culturelle ou socio-historique (socio-critique), d'une contrainte génétique (génologie, poétique), etc. Chaque transformation décisive met en jeu simultanément plusieurs de ces instances qui ne semblent valoir comme sources de l'événement générique que par le jeu de convergence qui les associe à ce point précis de l'avant-texte. La (ou les) logiques qui président à cette convergence productive qu'aucun discours critique ne peut isolément interpréter, est le véritable objet de l'étude de genèse. La critique génétique se définit donc, en marge des autres méthodes, comme cette approche décalée qui postule, non pas une interprétation totalisante, mais l'élucidation des processus dynamiques qui associent et font converger dans l'écriture les différentes déterminations dont les méthodes non génétiques isolent et analysent les résultats textuels sous forme de systèmes de significations séparés.

BIBLIOGRAPHIE

Outre les ouvrages de référence cités dans ce chapitre, on pourra se reporter à :

Jean Bellemin-Noël, *Le Texte et l'avant-texte*, coll. L, Larousse, Paris, 1972.

Pierre-Marc de Biasi, *Carnets de travail de G. Flaubert*, Balland, Paris, 1988.

Pierre-Marc de Biasi, «L'analyse des manuscrits et la genèse de l'œuvre», *Encyclopaedia Universalis*, vol. Symposium, 1985.

Raymonde Debray-Genette, *Flaubert à l'œuvre*, coll. Textes et Manuscrits, Flammarion, Paris, 1980.

Raymonde Debray-Genette et Jacques Neefs, *Romans d'archives*, coll. Problématiques, PUL, Lille, 1987.

Béatrice Didier et Jacques Neefs, *De l'écrit au livre : Hugo*, coll. Manuscrits modernes, PUV; 1987.

«Genèse du texte», n° spécial de *Littérature*, n° 28, Larousse, 1977.

Almuth Grésillon, *De la genèse du texte littéraire*, Du Lérot éditeur (Tusson), 1988.

Louis Hay, *Essais de critique génétique*, coll. Textes et Manuscrits, Flammarion, Paris, 1978.

Louis Hay, *Le Manuscrit inachevé (écriture, création, communication)*, coll. Textes et Manuscrits, éd. du CNRS, 1986.

Michel Malicet, «Exercices de critique génétique», *Cahiers de Textologie*, n° 1, Paris, Minard, 1986.

II. La critique psychanalytique

par Marcelle Marini

Introduction

La psychanalyse a bientôt cent ans : la critique psychanalytique aussi. En effet, dès ses premières élaborations théoriques, Freud fait appel à la littérature : à partir de 1897, il ne cesse d'associer la lecture de l'*Œdipe-roi* de Sophocle et de l'*Hamlet* de Shakespeare, à l'analyse de ses patients et à son auto-analyse, pour construire l'un de ses concepts fondamentaux, nommé précisément «le complexe d'Œdipe». A ces deux tragédies, il ajoute même, en 1928, le roman de Dostoïevski, *Les Frères Karamazov*. Nous verrons que l'histoire de la théorie psychanalytique ne peut être dissociée de ces rencontres ou de ces longues relations avec des mythes, des contes ou des œuvres littéraires.

On ne peut donc refuser à la critique psychanalytique son droit à l'existence, sans récuser, en même temps, la psychanalyse et sa découverte la plus féconde, celle de l'inconscient. Un rejet global est une prise de position cohérente. Mais, si l'on reconnaît les apports de la psychanalyse, on est obligé de prendre en compte ses interventions dans le champ de la critique littéraire, et, plus largement, artistique.

Cet exemple de la pratique freudienne des textes littéraires nous montre également qu'il est difficile d'adopter le schéma simple d'une «psychanalyse appliquée» :

— d'un côté, la psychanalyse comme une science édifiée uniquement dans son champ propre, celui de la pathologie mentale (névroses, psychoses, perversions, etc.), et cela en relation avec sa seule pratique clinique.

– de l'autre côté, une critique vouée à appliquer, en un second temps, les acquis de cette science dans un domaine étranger, celui des productions culturelles.

En fait, en lisant les premiers écrits de Freud, nous constatons que la pratique analytique est essentiellement une expérimentation originale de la parole et du discours. Or, bien avant la psychanalyse, la littérature (orale ou écrite) a été une pratique langagière capable de créer un espace singulier en marge des contraintes habituelles de la communication. C'est pourquoi, au début de notre étude, nous confronterons brièvement ces deux formes de l'intersubjectivité qui, toutes deux, se fondent sur un travail du langage et de l'imaginaire. Nous examinerons surtout en quoi la *méthode* psychanalytique a historiquement bouleversé les conceptions de la parole et de l'imaginaire. En effet, c'est à partir de là qu'il convient, à nos yeux, de s'interroger sur les apports de la psychanalyse à la critique littéraire, et non pas en faisant de sa théorie, un recueil de clés explicatives (inceste, castration, narcissisme, mère phallique, Nom-du-père, sexualité orale ou anale, phallus, etc.), où l'on puise à son gré.

L'étude des textes littéraires a permis à la psychanalyse naissante de quitter le champ strictement médical pour accéder au statut de théorie générale du psychisme et du devenir humains. La psychanalyse littéraire a également modifié le paysage critique. Mais il reste des questions de taille : quelle est exactement la place de cette critique dans le domaine de la réflexion culturelle ? Quelles sont ses visées ? Quels sont ses résultats ? Que change-t-elle, cette critique, dans notre lecture des textes eux-mêmes comme dans nos façons de concevoir la pratique artistique ? Pour répondre à ces questions, nous aimerions pouvoir présenter la critique psychanalytique comme un domaine complexe certes, mais relativement ordonné. Or, rien n'est plus difficile, au point qu'il vaudrait mieux parler de «critiques psychanalytiques», au pluriel.

Quelles images cette critique offre-t-elle aujourd'hui ? On peut faire, à l'occasion d'un cours, d'un article ou d'un livre, une véritable découverte. Mais, comment avoir une idée exacte de l'ensemble de ce champ critique ? La masse des publications est telle qu'aucune bibliographie ne saurait être exhaustive. Et, face à cette masse d'écrits, quels sont les points de repère possibles ?

Avec humour et non sans justesse, Gilbert Lascault évoque, à ce propos, la Tour de Babel :

> «Ecrasante et absurde construction, elle unit des parties en construction, des ruines et des parties "saines". Elle constitue la manifestation pétrifiée de la confusion des langues [1].»

Il vise ici l'engouement facile qui a précipité des analystes vers des œuvres littéraires pour y chercher la simple illustration de leurs thèses, ou des critiques littéraires vers la psychanalyse pour y trouver un savoir tout fait, une sorte de prêt-à-porter interprétatif donnant la «vérité» du texte. Contre ces «recettes monotones», il propose, comme premier critère d'une véritable critique psychanalytique, un authentique *travail* de lecture, où opèrent à la fois le travail psychique inconscient que le texte éveille chez le lecteur et le travail de l'interprétation. Un travail de lecture qui ne préjugerait pas de ce que l'on va trouver.

Ce point de vue nous encourage à faire des problèmes de méthode le premier point de notre exposé. Toutefois, il ne suffit pas à classer les différentes approches critiques. Car, tout conspire à donner un sentiment d'hétérogénéité :

— La diversité des théories psychanalytiques, suivant les écoles (freudienne, jungienne, kleinienne, lacanienne, etc.), mais aussi la difficulté d'articuler entre eux les différents concepts freudiens nés au fil des recherches. Peut-on dire de la psychanalyse, ce que Charles Mauron disait de sa «psychocritique» : «c'est un vaste chantier» ?

— La diversité des buts proposés : ce problème est si important que Jean Bellemin-Noël a organisé, autour de lui, de façon très pertinente, son livre, *Psychanalyse et littérature* [2]. La connaissance de ce livre documenté et réfléchi, est indispensable.

— La diversité sans limites du corpus : tout texte littéraire en tous temps, tous lieux, tous genres. Cette position est légitime, si l'on admet que l'inconscient est à l'œuvre dans toute production culturelle, même la plus concertée. Mais est-il toujours à l'œuvre de la même manière, à travers les époques, les cultures, les modes de penser, d'imaginer, d'écrire ? Répondre «non» à

---

1. *Esthétique et psychanalyse.*
2. Notons cette série de chapitres : *Lire l'inconscient. Se lire soi-même. Lire l'Homme. Lire un homme. Lire du texte.*

cette question exige que chaque lecture s'adapte à son objet et se transforme dans sa relation avec lui. A la limite, une critique littéraire psychanalytique devrait pouvoir modifier ou enrichir certains concepts de la psychanalyse, grâce aux textes qu'elle tente de découvrir.

La diversité n'a donc pas que les aspects négatifs de l'incohérence ; elle ne se confond pas avec la pratique du «n'importe quoi» : elle est aussi le gage de cette capacité à inventer qui caractérise la vie intellectuelle. Le plus grand danger que court toute critique littéraire, n'est-il pas la reproduction mécanique d'un discours-modèle ?

Nous essaierons de présenter, de la façon la plus concrète possible, les différentes orientations critiques. Après les questions de méthode (1) et l'examen des multiples positions des psychanalystes face à la littérature (2 et 3), nous accorderons toute son importance à ce moment historique où la critique littéraire psychanalytique prend son autonomie et que nous datons des travaux de Charles Mauron (4). Enfin, nous ferons place aux recherches récentes qui, confrontant la psychanalyse avec la philosophie, les sciences humaines et les théories du texte, pluralisent le champ de la lecture (5).

1. Les bases de la méthode

La psychanalyse n'aurait pas existé sans la mise en place d'une méthode expérimentale de plus en plus précise : on aurait simplement eu une théorie psychiatrique ou philosophique de plus. Notre problème, ici, est de savoir si cette méthode peut se pratiquer, avec profit, dans un autre domaine, celui de la lecture, et à quelles conditions. Pour juger, il faut évidemment déjà connaître les principes de la pratique psychanalytique. C'est ce que nous proposons schématiquement.

«La règle fondamentale» : entre divan et fauteuil

C'est à partir de 1892, que Freud est conduit par ses patientes hystériques à abandonner l'hypnose ou l'interrogation insistante, centrées sur l'élément jugé pathogène, pour leur laisser plus librement la parole : la «talking cure» (la cure par la parole), comme la nomme l'une d'entre elles, repose sur ce désir de «raconter ce qu'elle a à dire», sans intervention contraignante ou intempestive du thérapeute. Ces expériences où Freud découvre l'efficacité médicale de discours apparemment désordonnés, sont consignées dans *Les Etudes sur l'hystérie*. Systématisées par Freud, elles donnent naissance à *la règle fondamentale* qui organise, entre divan et fauteuil, la situation analytique.

■ *Du côté du patient, c'est la règle de **la libre association***

«Fixer notre attention sur la associations "involontaires" ; «dire sans parti-pris, comme sans critique, les idées qui me viendront» (*Le Rêve et son interprétation*). Chez le patient, la suspension de tout jugement moral ou rationnel facilite la venue, au fil des mots, d'images, d'émotions, de souvenirs inattendus qui font soudain basculer le savoir qu'il croyait avoir de soi, des autres et de ses rapports avec les autres.

■ *Du côté de l'analyste, c'est la règle de **l'attention flottante***

Lui-même ne doit privilégier *a priori* aucun élément du discours du patient ; il doit écouter «sans substituer sa propre censure au choix auquel le patient a renoncé» (*De la technique psychanalytique*), et, le plus possible, mettre entre parenthèses ses présupposés théoriques ; enfin, il doit être très attentif au moment et à la forme de ses interprétations.

■ *La psychanalyse est donc **une expérience qui se passe uniquement dans le langage***

«Dire et seulement dire», telle est la règle. «Elle n'a qu'un medium : la parole du patient», précise Jacques Lacan dans les *Ecrits*. Mais, cette parole, née souvent d'une scène de la veille, d'un rêve, d'une phrase obsédante, provoque et canalise des afflux d'images (de «représentations»), de sensations, d'affects, de souvenirs, de pensées, qui seront à leur tour soumis au travail de l'analyse.

La situation analytique est fondamentalement une situation *intersubjective*, même si le patient ne voit pas l'analyste, même si l'analyste se tait : «Il n'est pas de parole sans réponse, même si elle ne rencontre que le silence, pourvu qu'elle ait un auditeur, (…) c'est là le cœur de sa fonction dans l'analyse» (Lacan, *Ecrits*). L'analyste est doublement l'autre : il est d'abord celui *devant qui* l'on parle, le témoin de ce qui est en train de se dire, le garant de la possibilité même de se reconnaître comme sujet de cette parole étrangère qui échappe à la maîtrise du sujet conscient. Il est, en même temps, *l'autre auquel on s'adresse* : il faudrait dire les autres, au masculin et au féminin, lointains ou proches, réels ou imaginaires, y compris les autres nous-mêmes, tous ces autres qui nous hantent et que sa seule présence permet d'actualiser. Il n'est alors qu'un lieu de projections supportant ce qu'on appelle justement *le transfert*. L'analyse serait terminée, lorsque tous ces fantômes auraient trouvé leur juste place dans notre histoire, et que nous pourrions parler à l'analyste comme à une personne enfin singulière.

Cette relation inédite n'est compréhensible que si l'on suppose un champ psychique partagé, à la fois au cœur et en marge de la communication consciente : *l'inconscient*. Cette relation est expérimentale, dans la mesure où elle favorise l'émergence des processus inconscients dans la parole ou le discours.

L'inconscient

La pratique analytique a radicalement transformé la notion d'inconscient : il n'est plus le simple envers négatif de la conscience qui, elle, résumerait la vie psychique. On peut donc dire que l'inconscient est le concept fondateur de la psychanalyse et son apport majeur à la pensée contemporaine.

Dans sa première *topique* (représentation spatiale du psychisme réparti ici en trois systèmes, Inconscient/Préconscient/Conscient), Freud met en lumière *l'autre logique* que constituent les processus inconscients. Il étudie la dynamique inconsciente liée au *désir* et au *refoulement*. Il déchiffre la part de l'inconscient dans les *productions psychiques*.

Pour se défaire des idées sommaires que véhicule, sur la psychanalyse, notre culture actuelle, rien ne vaut la lecture des premiers écrits de Freud : *L'Interprétation des rêves, La Psychopathologie de la vie quotidienne, Le Mot d'esprit et ses rapports avec l'inconscient*.

■ *Une autre logique*

Voilà ce que découvre Freud, quand il analyse systématiquement le rêve, «cette voie royale qui mène à l'inconscient». En comparant le «contenu manifeste» du rêve (le récit que nous en faisons) et son «contenu latent» obtenu grâce à l'analyse des associations, il met l'accent sur le «travail psychique» qui produit le rêve. Il n'y a pas soumission au principe de non-contradiction de la logique consciente, mais il n'y a pas non-sens, il y a, sans cesse, glissement et transformation du sens selon des mécanismes spécifiques définis de façon pédagogique dans *le Rêve et son interprétation* :

— *La condensation* : un élément unique représente, dans le rêve, plusieurs chaînes associatives liées au contenu latent. Ce peut être une personne, une image, un mot. Cet élément est *surdéterminé* ; ainsi, dans le rêve de la monographie botanique (*L'Interprétation des rêves*), «le mot botanique est un véritable nœud où se rencontrent de nombreuses associations d'idées». Ou bien, on voit en rêve une personne connue (Irma dans le rêve de l'injection faite à Irma), mais, à l'analyse, elle représente une foule de personnes appartenant à l'histoire du rêveur et le rêveur (Freud) lui-même. Ou encore, une personne connue nous apparaît en rêve, mais sous une forme étrange : elle est construite de façon «composite», à partir de détails empruntés à différentes personnes réelles. Il faut donc, à chaque fois, grâce aux associations, déceler le point commun inconnu qui donne sens à cette condensation.

— *Le déplacement* : une représentation apparemment insignifiante est investie d'une intensité visuelle et d'une charge affective étonnantes. En fait, elle les reçoit d'une autre représentation à laquelle elle est liée par une chaîne associative. L'affect s'est séparé de la représentation originelle qui le justifiait et s'est déplacé sur une représentation indifférente, ce qui le rend incompréhensible. «Le rêve est autrement centré, son contenu est rangé autour d'éléments autres que les pensées du rêve». Ainsi, à propos de son rêve centré sur la botanique, Freud déclare qu'il n'a jamais eu d'intérêt pour la botanique : les associations, elles, conduisent vers des rivalités d'ambition et vers des souvenirs d'enfance à tonalité érotique. Un détail a pris une importance démesurée que, seule, l'analyse peut aider à comprendre.

Ce que nous apprend le déplacement, c'est qu'au niveau des

processus primaires (inconscients), les affects et les représentations ne sont pas définitivement liés : l'affect, lui, «a toujours
raison», mais il glisse de représentation en représentation. Le
déplacement est donc toujours présent dans les autres processus de
formation du rêve et, notamment, dans la condensation. Emprun-
tons à Freud un exemple éclairant : il lit l'article d'un collègue
prônant d'une façon (qu'il juge) emphatique, une découverte
physiologique, à ses yeux surestimée ; la nuit suivante, il rêve cette
phrase : «c'est un style vraiment NOREKDAL». Et voici ce qu'il
dit de ce mot étrange :

«J'eus beaucoup de peine à comprendre comment j'avais formé
ce mot : c'était visiblement une parodie des superlatifs : colossal,
pyramidal ; mais je ne savais trop d'où il venait. Enfin, je retrouvai
dans ce mot monstrueux les deux noms *Nora* et *Ekdal*, souvenir de
deux drames connus d'Ibsen. J'avais lu avant, dans un journal, un
article sur Ibsen de l'auteur même que je critiquais dans mon rêve»
(*L'interprétation des rêves*).

«L'affect a raison», il dit l'agressivité, mais il s'est déplacé du
collègue à Ibsen, de la thèse physiologique au théâtre, puis s'est
condensé en un mot lui-même énigmatique. L'analyse des vœux
inconscients peut alors commencer.

– *La figurabilité* : les pensées inconscientes sont transformées
en images, car le rêve est une production visuelle qui s'impose au
rêveur comme une scène actuelle. Les pensées les plus abstraites
doivent donc en passer par des substituts imagés : quand Freud
analyse «les procédés de figuration du rêve», il fait souvent appel
aux techniques de la peinture. Ainsi, les liens logiques sont soit
supprimés, soit remplacés par la succession d'images, la métamorphose d'une image en une autre, l'intensité lumineuse ou l'agran-
dissement d'une représentation, l'organisation de différents plans,
etc. Quant aux phrases ou aux mots, ils «sont traités comme des
choses», c'est-à-dire comme des éléments signifiants dans la
syntaxe originale du rêve, et non utilisés pour le sens qu'ils ont
dans la langue. Si Freud parle de «hiéroglyphes» ou de «rébus»,
ce n'est pas par hasard.

Cette loi du rêve peut sembler loin du discours littéraire.
Pourtant elle peut nous aider à comprendre des techniques théâtra-
les, les singularités d'une syntaxe narrative, l'importance d'une
description romanesque, l'élaboration d'une métaphore, etc. Sur-

tout, elle fait de l'écriture, non pas un travail purement langagier (formaliste), mais un travail de l'imaginaire par la langue et de la langue par l'imaginaire : à condition de ne pas confondre représentation et simple copie de la réalité.

– *L'élaboration secondaire* : cette dernière opération du travail du rêve, est due à l'intervention du préconscient qui remanie, en dernière minute, le rêve pour lui donner une «façade» plus cohérente ou acceptable. La même opération a lieu encore lors du récit que l'on fait de son rêve. Souvent, sont utilisés des scénarios tout faits qui viennent de lectures, de rêveries à l'état de veille (donc plus contrôlées), de stéréotypes de l'imaginaire commun. Ainsi, Freud donne, comme exemples, les scénarios de l'arrestation, du mariage, du repas de fête, du roi et de la reine, etc.

On pense aussitôt à ces modèles imaginaires qui nous constituent dès l'enfance, et que l'on retrouve à l'œuvre dans les productions culturelles les plus élaborées. Mais, Freud déplace la réflexion sur les rapports entre ces scénarios tout faits et la production singulière d'un rêve : il ne les oppose pas ; il en fait tantôt un masque ou un cache pour la production inconsciente qui reste donc à déchiffrer, tantôt la symbolisation même de ces pensées inconscientes que l'on peut donc lire en eux. On voit ainsi se dessiner, implicitement, deux façons différentes de considérer les œuvres littéraires :

– d'un côté un voile esthétique ou rationnel occulte la vérité nue de l'inconscient ;

– de l'autre le *texte manifeste*, comme le «contenu manifeste» du rêve, est en relations étroites de symbolisation avec le «contenu latent» situé du côté de l'inconscient. Ces deux conceptions de la production artistique se feront toujours concurrence.

Plus encore, Freud souligne que le travail du rêve utilise souvent, dès le début, ces scénarios tout faits : soit l'inconscient est déjà, pour une part, organisés par eux, ou, du moins, ne nous parvient que sous ces formes élémentaires collectives ; soit l'élaboration secondaire «exerce d'emblée (…) une influence inductive et sélective sur le fonds des pensées du rêve». C'est dire que la séquence : Inconscient/Préconscient/Conscient est moins une séquence temporelle qu'une séquence logique nécessaire à la compréhension scientifique. Tous les mécanismes joueraient en même temps : l'inconscient ne serait pas un magma ou un réservoir sauvage, mais une activité du psychisme humain toujours présente, de façon conflictuelle, dans la vie quotidienne, imaginative et créative.

Au bout du compte, «le rêve ne restitue plus qu'une déformation du désir qui est dans l'inconscient» : pourquoi ?

■ *Le désir et le refoulement*

Freud propose une théorie dynamique de l'inconscient, puisqu'il fait du rêve «la décharge psychique d'un désir en état de refoulement», mais c'en est «la réalisation *déguisée*». Car, le désir inconscient qui cherche la satisfaction, se heurte à la *censure* du conscient et, même, pour une part, du préconscient. Ainsi, toute *production psychique* est une *formation de compromis* entre la force du désir et la puissance refoulante du conscient. On comprend que la notion de «*conflit psychique*» soit essentielle : conflit entre désir et interdit, désir inconscient et désir conscient, entre désirs inconscients (sexuels et agressifs, par exemple). Ce conflit se poursuit dans le travail des associations : Freud note souvent combien les pensées latentes paraissent étrangères à soi, pénibles, voire inavouables, et suscitent les plus grandes résistances.

Dans *La Métapsychologie*, le processus est précisé : «La motion de désir représente dans son essence une revendication pulsionnelle inconsciente et, dans le préconscient, s'est constituée en désir de rêve (fantasmes accomplissant le désir)». Sous la pression de pulsions sexuelles ou agressives, un ensemble de scènes infantiles, de souvenirs plus récents de tous ordres, de représentations et de symboles venus de la culture, est mobilisé et s'organise déjà au niveau du préconscient. A l'inverse, il arrive qu'un incident de la vie ordinaire, une parole entendue, une lecture, éveillent les pulsions inconscientes qui en profitent pour se «décharger», en suscitant telle ou telle formation psychique. Il n'y a donc pas de productions directes de l'inconscient, et, pas davantage, de lecture directe de l'inconscient, ni de système automatique de traduction, ce qu'oublient trop de critiques littéraires.

Pour Freud, les mêmes processus et les mêmes conflits sont à l'œuvre dans toutes les formations psychiques : rêve, lapsus, acte manqué, symptôme, créations artistiques, etc., même si ces productions ne sont évidemment pas identiques. Une structure leur est commune, *le fantasme* : ce «scénario imaginaire où le sujet est présent et qui figure, de façon plus ou moins déformée par les processus défensifs, l'accomplissement d'un désir et, en dernier ressort, d'un désir inconscient.» (Laplanche et Pontalis, *Vocabulaire de la psychanalyse*). Nous avons déjà évoqué, à plusieurs reprises, des scénarios organisateurs du désir, mais la notion elle-même est si opératoire en lecture littéraire, que nous y reviendrons au fil de notre étude.

L'interprétation

«On pourrait caractériser la psychanalyse par l'interprétation, c'est-à-dire la mise en évidence du sens latent d'un matériel» ; «l'interprétation met au jour les modalités du conflit défensif et vise en dernier ressort le désir qui se formule dans toute production de l'inconscient» (Laplanche et Pontalis, *Vocabulaire de la psychanalyse*).

Nous n'aborderons pas ici les problèmes techniques de l'interprétation dans la cure, où elle joue un rôle dynamique. Nous mettrons l'accent sur les points important pour nous :

– Pour l'analyste, **tout discours est énigmatique**, puisque s'y articulent des processus et des significations inconscients et conscients.

– On pourrait comparer la psychanalyse au **travail du détective** : récolter les indices inconnus, inaperçus ou négligés ; les trier et les mettre en relations entre eux et avec des indices plus évidents ; les organiser pour trouver une solution à la fois convaincante et efficace.

Dans les deux cas, tout peut faire indice : un geste, un mot, un ton, les coïncidences et les distorsions entre les différentes versions d'un même événement, une omission, des digressions, une dénégation qui fait figure d'aveu, etc. Dans les deux cas, on reconstruit l'histoire. Dans les deux cas, on vise une vérité dont le statut reste difficile à définir.

– On remarquera encore que la solution, loin d'apaiser définitivement notre **désir de savoir**, l'exacerbe : nous nous mettons à interpréter à notre tour, autour de quelques éléments laissés en suspens, qui nous permettent de modifier l'interprétation de l'autre : avant d'apparaître en critique littéraire, ce phénomène est flagrant dans les textes psychanalytiques où le même cas peut être réinterprété différemment à des dizaines d'exemplaires. Enfin, nous modifions sans cesse nos propres interprétations. Car, aucun sens n'épuise les possibilités de signification d'une parole, d'un vécu, d'un imaginaire concrets.

– Dans un article du *Débat*, Carlo Ginzburg situe la psychanalyse parmi les systèmes «sémiotiques» de connaissance, fondée sur **l'interprétation de «signes»**, d'«indices» ou de «traces» : avec la médecine clinique, l'histoire, l'enquête policière et... *l'exégèse des textes.* Ce mode de connaissance individualise ses objets toujours considérés dans leur singularité : donc, au contraire de la science quantitative, il s'agit d'une «connaissance indirecte, indicielle et conjecturale» («Signes, traces, pistes»). Ce jugement n'a rien de péjoratif. Ginzburg souligne «le fâcheux dilemme» des sciences humaines : «soit adopter un statut scientifique faible pour aboutir à des résultats importants, soit adopter un statut scientifique fort pour aboutir à des résultats de peu d'importance».

Les psychanalystes hésitent entre ces deux positions. Pour notre part, nous avons choisi d'exposer ici les hypothèses et les concepts opératoires qui font de cette discipline une technique et une théorie nouvelles de l'interprétation. On peut avoir des règles et des théories communes : la part du sujet interprétant est impossible à évacuer.

La lecture psychanalytique

■ *La critique littéraire psychanalytique est une* **critique interprétative**

Psychanalyse = analyse de la psyché, comme on dit : analyse du texte. Nous verrons fleurir des néologismes pour marquer la spécificité d'une démarche : «psychocritique», «sémanalyse», «textanalyse», «psycholecture», etc.

L'Image dans le tapis : l'écrivain, comme l'artisan, tisse son texte d'images visibles et voulues, mais la trame dessine aussi une image invisible et involontaire, une image cachée dans le croisement des fils, le secret de l'œuvre (pour son auteur et pour ses lecteurs). Piège à interprétation, car cette image est partout et nulle part : en fait, il y a une multiplicité d'images possibles, et le texte apparemment fini est, à la lecture, le lieu d'infinies métamorphoses. On peut songer aussi aux tableaux optiques, véritables pièges à regard. Autant d'appels à l'imaginaire, à la parole, à l'activité du sujet lecteur ou spectateur.

■ *La critique psychanalytique est une pratique spécifique de l'interprétation*

En cela, elle est partielle et doit accepter ses limites par rapport à d'autres formes de critique ; elle doit encore indiquer, à chaque fois, ses choix, sa visée et sa méthode. Ainsi pourra-t-on quitter la Tour de Babel !

■ *La critique analytique est une pratique transformatrice*

Mais «la mutation» concerne «la structure non de l'auteur, non de son œuvre, mais de l'œuvre LUE». Et «le critique est pris dans la fourchette entre le sujet du discours interprété et celui qui reçoit l'interprétation» (Smirnoff, «l'œuvre lue»). C'est-à-dire, entre l'écrivain et le lecteur de l'ouvrage critique. On voit combien cette situation diffère de celle qui s'établit entre divan et fauteuil.

On a noté bien des différences entre la scène de la cure et la scène de la lecture : parole privée/écrit public ; parole désorganisée/écrit élaboré et même concerté ; proximité physique/distance, y compris historique ; présence/absence d'associations libres pour fonder et mettre à l'épreuve les interprétations. Ajoutons que la demande de l'auteur à son lecteur imaginaire ou réel n'est pas celle de l'analysant à son psychanalyste et que l'attente du lecteur n'est pas celle du psychanalyste. Enfin, si, comme le dit Lacan, les psychanalystes sont des «praticiens du symbolique» (*Ecrits*), que dire des écrivains ?

Plus on sera attentif à la spécificité du texte littéraire, à la spécificité de sa production et à l'originalité des rapports intersubjectifs qui se nouent autour de lui, plus on se demandera comment *adapter* pour la lecture, la méthode liée à la situation strictement analytique.

2. L'appel de la psychanalyse à la littérature

Des textes littéraires ont joué le rôle de *médiateur* entre la clinique et la théorie : cristalliser des hypothèses naissantes, les cautionner, enfin universaliser des découvertes singulières limitées au champ médical. L'exemple le plus éclatant est l'élaboration, par Freud, du «complexe d'Œdipe». Nous verrons aussi comment Lacan théorise la fonction de «la lettre» dans l'inconscient, à partir du conte de Poë, «La lettre volée».

Mais les textes littéraires peuvent encore servir de pôles de référence, pour vérifier ou illustrer de façon plus éclairante, un aspect particulier de la doctrine.

Freud et la découverte du complexe d'Œdipe

Qui, aujourd'hui, ignore la définition minimale du complexe d'Œdipe : le désir incestueux pour la mère et le désir meurtrier pour le père ? En plein désarroi théorique, Freud retrouve en mémoire la tragédie de Sophocle, *Œdipe-roi*, qui présente explicitement la réalisation de ces deux désirs et de leur châtiment : c'est le salut. Il peut enfin construire un concept qui bouleverse les idées admises sur l'enfance, l'organisation de la personnalité et du désir humain. Mais, de son côté, cette œuvre d'une société disparue retrouve une force et une place aussi imprévues qu'exceptionnelles dans la culture occidentale moderne. Depuis, on ne cesse de la relire en tous sens.

Freud met en relation quatre éléments différents : les associations de ses patient(e)s, ses propres associations, *Œdipe-roi* et *Hamlet*. Cet ensemble hétéroclite s'organise autour d'une convergence : à travers les multiples différences, Freud repère la *répétition* d'un motif, celui des désirs amoureux et hostiles à l'égard des parents.

Dans sa préface à *Hamlet et Œdipe* de Jones, Jean Starobinski résume ainsi le mouvement de la pensée freudienne :

- Moi, c'est comme Œdipe.
- Œdipe, c'était donc nous.
- Hamlet, c'est encore Œdipe mais refoulé.
- Hamlet, c'est le névrosé, l'hystérique dont j'ai à m'occuper quotidiennement.

■ *Freud lit Œdipe-roi*

Il n'existe pas, chez Freud, de lecture systématique de la tragédie. La préface de Starobinski est la première étude complète des pages que Freud a consacrées à *Œdipe* et *Hamlet*, au fil de ses préoccupations théoriques. Nous reprendrons ici quelques points de sa réflexion.

- Avec *Œdipe*, Freud découvre «l'expression impersonnelle et collective» du désir personnel qu'il partage avec ses patient(e)s. «Le paradigme mythique apparaît tout ensemble comme le corollaire de la nouvelle hypothèse, et comme sa garantie d'universalité». Mais, comment oublier qu'Œdipe reçoit cette valeur d'invariant universel, parce qu'il est déporté dans notre contexte culturel moderne : des rêves, des symptômes, des paroles en analyse, d'autres œuvres d'art, etc. forment un nouveau réseau qui garantit son universalité.

- Le héros tragique devient la figure symbolique du désir infantile que nous avons oublié et qui perdure en nous. En Œdipe, c'est *L'Enfant* qui est promu héros : voilà en quoi Freud change la signification de la pièce. «Œdipe n'a pas d'inconscient, parce qu'il *est* notre inconscient, je veux dire l'un des rôles capitaux que notre désir a revêtus».

- Le héros tragique a un double statut : il est à la fois le sujet et l'objet de l'enquête, «l'enquêteur enquêté». Le mouvement de la tragédie organise le double travail de la méconnaissance et de la reconnaissance jusqu'à la vérité foudroyante : le criminel que je poursuis, c'est moi. Freud s'identifie à Œdipe et identifie la psychanalyse à cette quête douloureuse de la vérité en proie à l'aveuglement, où l'on affronte l'autre inconnu en soi. Le sujet est inexorablement divisé.

Freud s'identifie aussi à Sophocle capable d'orchestrer en tragédie, comme lui en théorie, cette aventure de l'homme qui s'interroge sur son être, ses origines et son histoire.

■ *Freud lit Hamlet*

Voici ce qu'il écrit :

>   «Une autre de nos grandes œuvres tragiques, *Hamlet* de Sha-
> kespeare, a les mêmes racines qu'*Œdipe-roi* (…) Dans *Œdipe*, les
> fantasmes-désirs sous jacents de l'enfant sont mis à jour et sont
> réalisés comme dans le rêve ; dans *Hamlet*, ils restent refoulés, et
> nous n'apprenons leur existence tout comme dans les névroses que
> par l'effet d'inhibition qu'ils déclenchent. Fait singulier, tandis que
> ce drame a toujours exercé une action considérable, on n'a jamais
> pu voir clair quant au caractère de son héros. La pièce est fondée
> sur les hésitations d'Hamlet à accomplir la vengeance dont il est
> chargé ; le texte ne dit pas quelles sont les raisons ou les motifs de
> ces hésitations ; les multiples essais d'interprétation n'ont pu les
> découvrir. (…) Qu'est-ce donc qui l'empêche d'accomplir la tâche
> que lui a donnée le fantôme de son père ? Il faut bien reconnaître
> que c'est la nature de cette tâche. Hamlet peut agir, mais il ne
> saurait se venger d'un homme qui a écarté son père et pris la place
> de celui-ci auprès de sa mère, d'un homme qui a réalisé les désirs
> refoulés de son enfance. L'horreur qui devrait le pousser à la ven-
> geance est remplacée par des remords, des scrupules de cons-
> cience, il lui semble qu'à y regarder de près il n'est pas meilleur que
> le pécheur qu'il veut punir. Je viens de traduire en termes cons-
> cients ce qui doit demeurer inconscient dans l'âme du héros ; si l'on
> dit après cela qu'Hamlet était hystérique, ce ne sera qu'une des
> conséquences de mon interprétation. L'aversion pour la sexualité,
> que trahissent les conversations avec Ophélie, concorde avec ce
> symptôme». (*L'Interprétation des rêves*, P.U.F., 1967).

Puis, Freud cherche les sources d'Hamlet dans la personnalité
de Shakespeare.

Ce texte semble offrir tout ce que l'on reproche aujourd'hui à la
«psychanalyse appliquée» : étude psychologique du personnage,
jugement clinique, interprétation sans lecture précise de l'œuvre,
assimilation de l'auteur au personnage. Et pourtant, les lectures les
plus subtiles n'ont pas remis en cause la justesse de cette analyse.

C'est que nous sommes au moment de l'invention de la psychanalyse et non dans les temps de la routine. *Hamlet* est trop
étroitement liée à l'auto-analyse pour que Freud puisse nous
donner le travail associatif qui a produit cette interprétation. Car,
Hamlet n'est pas seulement le patient hystérique de Freud (Starobinski), il est aussi, pour une part, Freud en proie à sa «névrotica» :
Shakespeare écrivit *Hamlet* après la mort de son père, dit Freud
qui, lui, déchiffre Hamlet et se déchiffre en lui, un an après la mort
de son propre père…

L'implication personnelle de Freud dans son interprétation, ouvre l'une des voies les plus fécondes de la lecture psychanalytique : l'œuvre littéraire n'est ni un symptôme, ni la parole en analyse, elle nous offre une *forme symbolisée* pour un aspect de notre psychisme inconscient qui en était dépourvu.

Enfin, une tragédie fondée sur «le retour du refoulé» (*Œdipe*) aide à comprendre une autre tragédie fondée sur le refoulement (*Hamlet*). Si Œdipe *est* l'inconscient, Hamlet *a* un inconscient qu'Œdipe symbolise. A l'inverse, *Hamlet* est le gage de la vérité d'*Œdipe* comme principe explicatif universel, avant de devenir lui-même le «prototype» du refoulement hystérique. Cette pratique amorce une méthode qui cherchera à éclairer les textes les uns par les autres.

Ainsi, *Œdipe* et *Hamlet* sont des «images médiatrices» entre le passé de Freud et les patients de Freud (Starobinski). Elles sont aussi des «images médiatrices» entre Freud et Freud. Et, si elles sont «les garants d'un langage commun», celui qui va peu à peu imposer, dans notre culture, une nouvelle évidence commune, elles deviennent des «images médiatrices» entre Freud et nous, entre nous et nous.

Cette fonction de médiation du texte littéraire est essentielle : il ne peut l'accomplir que s'il est vivant, c'est-à-dire lu, et d'une lecture qui soit dialogue avec lui, en dépit des distances culturelles et historiques. Une telle lecture, quel qu'en soit le mode, est toujours «une trahison créatrice» (Escarpit, *La Sociologie de la littérature*).

Lacan et «la lettre volée» de Poë

Le Séminaire sur «La Lettre volée» (*Ecrits*) est un texte difficile : en introduisant en psychanalyse le modèle de la linguistique structurale, Lacan tente d'élaborer une nouvelle théorie de l'inconscient et des lois réglant les rapports intersubjectifs. En fait, il cherche une *logique* de l'inconscient, de l'intersubjectivité et des relations à la vérité. En 1956, il pense y parvenir, grâce à la lecture du texte de Poë, une enquête policière (encore une, après *Œdipe* et *Hamlet* !) que mène avec succès le célèbre Dupin.

Le conte n'est pas mis en relation avec des rêves ou associations des patient(e)s ou du psychanalyste qui écrit, comme chez Freud.

Lacan, lui, met en rapport deux types de texte pour produire le sien : celui de Freud (théorie) et celui de Poë (fiction). Il *pense avec* ces deux textes pour en dégager «la vérité» ; ou bien il *repense* les textes freudiens *avec* le conte capable d'«illustrer la vérité» qu'il veut enseigner. Le statut du conte reste donc ambigu, mais cela n'enlève rien à l'intérêt de cette étude qui ne se contente pas de refaire l'enquête de Dupin pour trouver une autre solution à l'énigme : elle cherche les lois et de l'énigme et de l'enquête.

■ *Le drame de l'intersubjectivité*

Lacan prélève, dans le conte, les deux scènes qui constituent l'histoire :

– la première se joue dans le boudoir royal : la reine reçoit une lettre ; le roi entre ; la reine dissimule la lettre, en la posant sur la table, «retournée, la suscription en dessus» ; le ministre voit l'embarras de la reine, en comprend la cause, sort de sa poche une lettre identique, la substitue à la première ; la reine voit le vol, mais ne peut rien faire. Elle sait que le ministre a la lettre, et lui sait qu'elle le sait.

– La seconde se joue dans le bureau du ministre : la police a fouillé en vain pour retrouver la lettre ; Dupin se fait annoncer au ministre et, de ses yeux cachés sous des lunettes vertes, reconnaît la lettre dans un billet froissé, laissé à la vue de tous, dans un porte-cartes pendant au milieu de la cheminée ; il revient le lendemain et, provoquant un incident de rue qui détourne l'attention du ministre, il dérobe la lettre. Le ministre ne sait pas qu'il n'a plus la lettre ; la reine sait qu'il ne l'a plus ; Dupin sait qu'il ne l'a plus, mais, lui laissant en échange un billet sarcastique, il attend le moment où il découvrira sa défaite. La lettre sera rendue à la reine.

Lacan, négligeant toute étude psychologique des personnages, procède à une lecture structurale. Il analyse la seconde scène comme la *répétition* de la première : un même système de trois figures liées par un même événement, le vol, autour d'une même lettre. Ceci acquis, il en cherche l'organisation logique.

■ *La logique des rapports à la vérité*

Lacan définit d'abord les différentes positions du sujet face à la vérité, en analysant le jeu des regards, selon l'équivalence, voir = savoir.

«Donc trois temps, ordonnant trois regards, supportés par trois sujets, à chaque fois incarnés par des personnes différentes.

Le premier est d'un regard qui ne voit rien, c'est le Roi et c'est la police.

Le second d'un regard qui voit que le premier ne voit rien et se leurre d'en voir couvert ce qu'il cache : c'est la Reine, puis c'est le ministre.

Le troisième qui de ces deux regards voit qu'ils laissent ce qui est à cacher à découvert pour qui voudra s'en emparer : c'est le ministre, et c'est Dupin enfin.»

On note que, dans ce système rigoureux, deux éléments ont disparu : la reine, à la différence du ministre, voit-sait qu'on lui dérobe la lettre ; elle sait aussi, mais d'un tout autre savoir, que Dupin n'est pas un second ministre et lui rendra la lettre. Elle ne semble donc pas appartenir entièrement à cette série censée définir le sujet aux prises avec la vérité. Quant au roi, aveugle de bout en bout, comme hors jeu, il reste fort énigmatique.

■ *La logique de l'intersubjectivité*

Lacan note que d'une scène à l'autre, la reine, le ministre et Dupin se succèdent, en décalage, aux mêmes places. C'est la lettre (figuration du signifiant et lettre de l'alphabet) qui, en circulant, fait circuler les sujets à l'intérieur d'un petit nombre de places fixes. Personne n'est propriétaire de la lettre, c'est la détenir ou non qui attribue telle ou telle place : cela prouve «la détermination majeure que le sujet reçoit du parcours du signifiant». Tout sujet est assujetti à «l'ordre symbolique» qui le transcende et définit sa place, quels que soient «les dons innés, l'acquis social, le caractère ou le sexe».

Tout cela est bien abstrait. Mais, si la lettre représente «le phallus» ou «un grand corps de femme» (phallicisé ou symbolisant le phallus absent), tout devient plus clair : les deux scènes structurent une histoire œdipienne, organisée autour du complexe de castration. Trois positions : le père, la mère, le fils. Ne se déplacent en fait que le ministre, fils infidèle, et Dupin, fils fidèle qui rétablit, à la fin, le bon ordre initial, moyennant un marché (peu analysé) avec la reine : ils sont la seule figure (dédoublée) du sujet.

En fait, Lacan rejette ici toute analyse des singularités d'un discours inconscient : ce ne serait que vulgaire habillage imaginaire. Pourtant, ces singularités sous-tendent l'argumentation.

Derrida, dans «Le facteur de la vérité», souligne combien le séminaire reprend des points concrets de l'étude consacrée par Marie Bonaparte à Poë. C'est l'orientation qui diffère. Lacan définit une loi universelle de l'intersubjectivité autour du phallus : le roi détient le pouvoir conféré par le phallus, à condition d'en confier la garde à la reine, celle dont on est sûr qu'elle ne l'a pas et qui a seulement le pouvoir de le transmettre. Elle doit être fidèle à la foi jurée au roi (le pacte du mariage) dont elle est «la sujette». Le ministre, en détenant la lettre, se croit tout-puissant, mais il «se féminise» et Dupin n'échappe à ce destin qu'en rendant la lettre à la reine. On voit combien cette loi inscrite dans l'inconscient, est en harmonie avec les lois de la société patriarcale dont elle garantit la nécessité universelle. Grâce à sa lecture du conte, Lacan transforme l'Œdipe pour en faire une logique générale du sujet pris dans l'ordre de la parenté.

■ *La logique de l'inconscient*

Pour Lacan, «l'inconscient est structuré comme un langage» (*Ecrits*), c'est-à-dire comme une *langue* : on s'attend donc à des combinaisons infinies d'éléments finis, mais pluriels et liés différentiellement entre eux. En linguistique, chacun est marqué de l'absence des autres et de la présence de ce qui manque aux autres. Rien de tel ici : l'inconscient n'est plus l'agencement singulier de signifiants de désir et d'affects caractérisant un individu. Il y a *une* lettre, *un* signifiant, *le* phallus seul représentant du désir, il les gouverne : la psychanalyse repose sur l'affirmation de la prééminence du pénis ou du phallus, emblème unique et «indivisible» de la sexualité. Ici, l'inconscient fonctionne (comme une machine), selon l'alternance répétitive de la présence et de l'absence du phallus (la lettre).

Le conte mettrait en scène le fonctionnement inéluctable de ce système, en y ajoutant un caractère circulaire : «une lettre arrive toujours à destination, en dépit de ses aventures». La lettre détenue par la reine revient à la reine : entre temps, elle a été «détournée» ou «en souffrance», mais son trajet la ramène à son point de départ. La seule histoire de la lettre, c'est la répétition à l'infini de ce vol, de ce détournement et de ce retour là où elle *doit* être. Un ordre logique du retour à l'ordre qui suppose l'oubli du premier expéditeur, de l'embarras de la reine, de la multiplicité des lettres et de leurs messages. D'ailleurs, ce «détour» va de la reine aux «jamba-

ges de la cheminée» (jambes de la femme) dans le cabinet du
ministre : les avatars fantasmatiques de l'Œdipe masculin autour
de la castration dite féminine tissent cette analyse qui transforme
en loi du Symbolique «la morale de la fable».

Fonder une lecture psychanalytique sur cette logique lacanienne sera infructueux, si l'on néglige le premier travail de déchiffrement présent en filigrane dans le séminaire.

La littérature et la mise à l'épreuve de la théorie

Au début de la *Gravida*, Freud écrit, en parlant des poètes :
«Nous puisons à la même source, pétrissons la même pâte, chacun
avec nos méthodes propres». Les deux analyses que nous venons
de suivre, reconnaissent à l'œuvre littéraire, un savoir égal, quoi-
que élaboré différemment, sur l'inconscient. Les textes littéraire et
psychanalytique s'éclairent mutuellement. Mais, la spécificité du
travail littéraire n'est pas prise en compte, tant l'attention est
mobilisée par les effets de vérité que produit la rencontre surprenante de ces deux démarches.

Dans l'élan de la découverte psychanalytique, les mythes et la
littérature jouent un grand rôle pour la construction, la mise à
l'épreuve et la justification de la théorie. *Les Minutes de la société
de Vienne* révèlent ce foisonnement désordonné, mais vivant et
inventif des lectures. Nous lisons toujours avec passion, par
exemple, *Le Mythe de la naissance du héros, L'Etude du double*
ou le *Don Juan* d'Otto Rank. Sans compter *Le traumatisme de la
naissance* où, partant du conflit œdipien, il en refuse la prééminence, en découvrant l'importance des premiers temps de la vie
psychique. On lit pour «vérifier» ou «illustrer», et l'on trouve autre
chose. C'est que les concepts ne sont pas encore fixés ni hiérarchi-
sés : la littérature offre des formes imaginaires, des symbolisations, des mots, à des intuitions cliniques encore errantes.

Ou bien, on se prend au plaisir de la lecture : ainsi de Freud
décidé à «vérifier», dans la *Gravida* de Jensen, ses théories du rêve
et du délire et qui découvre l'art de fonder un roman entier sur la
pratique d'un discours à double sens.

3. L'œuvre littéraire comme objet d'étude

Cette fois, le texte littéraire ne joue plus le rôle de médiateur entre la clinique et la théorie, c'est la psychanalyse qui joue le rôle de *médiatrice* entre l'œuvre et ses lecteurs.

Statut de l'œuvre/Statut de l'écrivain

Les deux statuts subissent ensemble des variations étonnantes : une page de *Délires et rêves dans la Gravida de Jensen*, est, de ce point de vue, révélatrice. Au début, Freud affirme la supériorité des poètes (= créateurs) :

> «Ils sont, dans la connaissance de l'âme, nos maîtres (…), car ils s'abreuvent à des sources que nous n'avons pas encore rendues accessibles à la science».

A la fin, la relation est renversée : l'analyse du roman n'ajoutera sans doute rien à notre connaissance du rêve ; par contre, elle apportera «peut-être un petit aperçu sur la nature de la production poétique». Mais, comment concilier ces deux jugements déjà contradictoires avec celui que nous avons présenté au chapitre II : l'égalité entre les pratiques littéraire et analytique, au nom de la «conformité des résultats» dans la différence des démarches ? La page que nous citons offre une réponse.

En effet, Freud passe de l'humilité à la maîtrise, en établissant une hiérarchie entre les deux types de savoir : les écrivains «se sont bornés à montrer», là où le psychanalyste «découvre». Il y a celui qui sait, mais ignore ce qu'il sait ; il y a celui qui dispose de son savoir. Lacan résume bien cette relation hiérarchique dans *Hommage à Marguerite Duras du Ravissement de Lol V. Stein* : «Elle s'avère savoir sans moi ce que j'enseigne». Il s'émerveille de la «conformité des résultats», mais il lui semble impensable que Duras (écrivain et femme) puisse savoir quelque chose que la théorie analytique ignore encore. Et, qui décide de cette «conformité», sinon le psychanalyste, seul maître désormais de la vérité du désir et de l'inconscient ?

A suivre Freud, l'analyste a pour lui «l'observation consciente des processus psychiques anormaux chez autrui, afin d'en pouvoir deviner et énoncer les lois». L'auto-analyse s'efface : il y a le savant et l'autre, objet du savoir. L'artiste, lui, est confiné à l'auto-connaissance : «il apprend par le dedans de lui-même ce que nous apprenons par les autres». Cette rivalité sourde confère au «poète», un statut incertain entre ceux du médecin et du névrosé. On peut même lui refuser ce demi-savoir, pour en faire un «cas» : un malade à qui écrire servirait de béquille dérisoire ou d'exutoire. Mieux vaudrait l'allonger sur le divan. A défaut, on l'allonge sur le papier.

Dans ces conditions, «le phénomène littéraire, par voie d'ana-logie» (avec la parole du patient et le discours du psychanalyste), «se trouve en suspension ironique entre le pathologique et le médical» (Mehlman, «*Entre psychanalyse et psychocritique*»). Il peut même se volatiliser dans cette alternative : l'esthétique n'est plus un travail de symbolisation, mais un voile déguisant la vérité, on la laissera donc aux esthéticiens. Dans la *Gravida*, Freud voit successivement «une étude psychiatrique» et l'expression d'un conflit psychique ignoré de l'auteur. D'autres se borneront à lire dans une œuvre, comme Laforgue pour Baudelaire, «la confession d'un mal psychique». De toutes façons, la littérature devient un immense réservoir de *matériel clinique*.

L'inféodation de l'œuvre littéraire au savoir psychanalytique, tend à devenir la règle : lui seul aurait le pouvoir de faire surgir de la fiction sa part de vérité. Une partie de la critique fonctionne sur ce modèle de la maîtrise : soumise à un corps doctrinal élaboré ailleurs, elle s'en sert pour soumettre le texte littéraire à son pouvoir d'interpréter et de juger, au nom d'une «science» de l'inconscient. «La psychanalyse appliquée» fait partie de tous les programmes des Sociétés psychanalytiques, y compris l'Ecole de Lacan. En ce sens, la psychanalyse partage avec l'ensemble des sciences humaines, la même relation ambiguë au texte littéraire : il est vu comme l'approche empirique (donc approximative) d'une vérité ou d'un modèle produits par la théorie.

Ceci dit, on juge une lecture à ses apports dans les limites de son projet. Il faut donc faire place, sans ostracisme, à la diversité des projets critiques. En gardant toutefois deux questions en mé-moire : Applique-t-on une méthode, sans préjuger de ce que l'on va trouver, ou d'emblée les concepts déjà élaborés dans la «science» de référence ? Tient-on compte ou non du travail littéraire comme travail de symbolisation.

Pathologie du personnage et de l'œuvre...

Qui n'a pas tendance à identifier un personnage fictif à une «personne réelle» ? Ou à conclure directement d'une œuvre à la psychologie de l'écrivain ? Freud (*Gradiva*), comme Lacan (*La Lettre volée*), sont embarrassés eux-mêmes par ce problème qu'ils rencontrent dans leur propre lecture. C'est la stylisation exemplaire de l'œuvre qui la différencierait des récits de malade. Elle aurait ainsi, sur ses lecteurs, des effets de catharsis et d'auto-connaissance, avec, en plus «la prime de plaisir» du voilement esthétique qui évite l'affrontement direct (insupportable) avec la vérité. En somme, quand Flaubert dit «Madame Bovary, c'est moi», il dit la complexité des projections et des identifications en jeu dans l'élaboration esthétique.

Passons en revue différentes positions critiques :

– **Freud** bâtit sa théorie de la paranoïa, sur la seule lecture des *Mémoires* du président Schreiber. Finalement, il crée une notion clinique sur la foi d'un texte. Mais, sensible à la puissance mythique et symbolique de cet écrit, il interroge la parenté unissant les formes de la connaissance paranoïaque et les modalités de sa propre théorisation.

– **Laforgue** tente, avec *L'Echec de Baudelaire*, de faire une pathographie de l'œuvre conduisant à la pathologie de l'écrivain. Traduisant (parfois terme à terme) le langage poétique en langage clinique, il fait des symboles baudelairiens, de simples allégories des symptômes qu'il organise en névrose. On y voit généralement une caricature de la lecture analytique : non pas tant pour son diagnostic que pour sa réduction d'une production littéraire à l'expression directe d'une névrose.

– **Lacan** transforme son analyse d'un personnage pris comme personne réelle, en une interprétation symbolique : ainsi, Hamlet figure l'homme moderne en proie au drame du désir ; la reine, la mère séductrice du père comme du fils ; Ophélie, «le drame de l'objet féminin pris dans les rets du désir masculin». (*Le Désir et son interprétation*).

– **Julia Kristeva** se livre à un diagnostic dans *Soleil noir*, livre récent consacré à la mélancolie. Alors qu'elle étudie la dialectisation esthétique de la mélancolie, elle analyse l'œuvre de Duras comme l'expression non médiatisée de ce mal. Parlant d'abord d'une «esthétique de la maladresse», ce qui est prometteur (bien qu'insuffisant à rendre compte de l'écriture durassienne), elle conclut à l'absence de tout vrai travail de symbolisation : «Aucune purification ne nous attend à la sortie de ces romans au ras de la maladie, ni celle d'un mieux-être, ni la promesse d'un au-delà, ni même la beauté enchanteresse d'un style ou d'une ironie qui constituerait une prime de plaisir en sus du mal révélé.» Ce jugement sans appel n'est malheureusement accompagné d'aucune argumentation fondée sur une étude précise de la composition ou du style des œuvres.

Mais Kristeva soulève un problème important, en *déconseillant* la lecture de Duras aux «lecteurs et lectrices fragiles» : «La mort et la douleur sont la toile d'araignée du texte, et malheur au lecteur complice qui succombe à son charme : il peut y rester pour de vrai». Trois questions se posent alors.

Pourquoi Duras au pilori et Artaud, Mallarmé ou Céline encensés ? En fait, toute œuvre littéraire peut ouvrir une crise personnelle. Ensuite, faut-il attribuer une telle contagion de la souffrance psychique à un défaut d'élaboration esthétique, ou bien au fait que les textes contemporains novateurs déjouent nos défenses, parce qu'ils ne sont pas encore inscrits dans la tradition (les codes) culturelle ? Enfin, ces effets ne sont-ils pas dus, pour une large part, à la lecture psychanalytique elle-même ? Quand on n'applique pas une grille de précompréhension, ou ne s'abrite pas derrière le diagnostic porté sur l'autre, mais que l'on opère une déconstruction des symbolisations concrètes d'un texte, il y a toujours un risque. Jusqu'où aller dans le travail de désymbolisation qui nous mène vers des zones insoutenables de nous-même ? A vrai dire, on garde des appuis : le retour aux symbolisations du texte qui ont alors une puissance accrue ; leur mise en relation avec des éléments du discours analytique qui offre d'autres modes de symbolisation ; la recherche de ses propres symbolisations, par l'écriture critique. Il arrive à chacun(e) d'arrêter la fréquentation de tel ou tel texte, mais peut-on mettre des livres ou des écrivains à l'index, au nom de la psychanalyse ?

La psychobiographie

la psychanalyse ne peut évacuer la question du sujet. André Green écrit : «Serait-il possible de n'établir aucun rapport entre l'homme et sa création ? De quelles forces se nourrirait celle-ci, sinon de celles qui sont à l'œuvre chez le créateur ?» (*Un Œil de trop*). Et les notions d'inconscient et de conflit psychique éclairent autrement la genèse et l'histoire de l'individu, de l'activité créatrice et de l'œuvre.

Le projet psychobiographique est plus vaste que ceux que nous venons d'étudier, mais la problématique est semblable. De plus, nous allons rouvrir cette question avec Mauron. C'est pourquoi, nous nous contenterons de donner ici quelques exemples classiques, avant de passer aux perspectives nouvelles ouvertes par les recherches sur les autobiographies d'écrivain.

■ Fondements de la psychobiographie

La *psychobiographie* se fonde sur le programme de Freud, en Avant-Propos à l'*Edgar Poë* de Marie Bonaparte : «étudier les lois du psychisme humain sur des individus hors ligne».

Bonaparte cherche à définir la névrose de Poë, notamment autour de la nécrophilie, mais sa méthode dépasse ce projet : en cherchant des structures communes à plusieurs œuvres, elle dégage des noyaux fantasmatiques complexes qui révèlent les diverses formes d'un conflit psychique élaboré dans l'imaginaire, la composition et la symbolique des textes.

Lacan, en faisant l'éloge du livre de Delay sur *La Jeunesse d'André Gide*, généralise aussitôt le cas individuel : Gide «pose un problème si personnel qu'il pose le problème tout court de la personne, celui de l'être et du paraître», et son roman familial devient l'itinéraire exemplaire du sujet (masculin) pris entre les pièges de la figure maternelle et la disparition de la parole paternelle. Laplanche, dans *Hölderlin ou la question du père*, essaie de déceler, à travers la vie et les poèmes, une carence expliquant la folie : la «forclusion» (selon Lacan, le rejet primordial hors de l'univers symbolique du sujet) du signifiant fondamental que serait le Nom-du-Père. Une belle formule rend justice à Hölderlin : «Poète parce qu'il ouvre la schizophrénie comme question, il ouvre cette question parce qu'il est poète» ; mais elle reste énigmatique. Si le diagnostic est différent, le but et la méthode restent classiques.

Dominique Fernandez redéfinit clairement les principes de la psychobiographie, au début de *L'Echec de Pavese* : «tel enfant, telle œuvre». Bien qu'il affirme : «L'homme est à la source de l'œuvre, mais ce qu'est cet homme ne peut être saisi que dans l'œuvre», il construit son étude sur le modèle de Bonaparte : une première partie consacrée à une biographie minutieuse, une seconde à l'œuvre analysée surtout de façon thématique. Cet enchaînement correspond à un déterminisme linéaire que le critique assume : «Avant même que (Pavese) ait écrit une seule ligne, ses livres sont contenus dans les conflits de sa prime jeunesse». Et, pour lui, on ne peut comprendre une œuvre sans la connaissance approfondie de son auteur. Ce n'est pas par hasard qu'il reprend, en titre, *l'Echec de Baudelaire* de Laforgue : l'œuvre est une «longue confession» qui n'a pas même valeur cathartique, puisqu'elle ne peut empêcher la «faillite» humaine (angoisse, folie, suicide).

Dans *L'Enfance de l'art*, Sarah Kofman fait la critique de ce déterminisme qui sous-tend plus ou moins le projet psychobiographique : elle lui oppose un autre type de causalité qui fait du drame psychique la structure de l'œuvre, mais aussi de l'œuvre la structuration symbolique et l'élaboration de ce drame. En somme, «l'œuvre engendre son père».

Si l'on ne prend pas en compte les rapports complexes entre vécu, fantasme et écriture et si l'on oublie l'intervention de l'inconscient dans la temporalité consciente, on risque fort de créer ce que Smirnoff appelle ironiquement «une nouvelle entité clinique, la névrose créatrice» («L'œuvre lue»).

■ L'étude analytique des autobiographies

Philippe Lejeune en est le pionnier. Si l'on considère ses lectures concrètes de Rousseau et de Sartre dans *Le Pacte autobiographique*, ou son travail sur *Leiris*, deux questions fondamentales sont enfin posées : celle de la vérité du souvenir ; celle de l'énonciation.

Il reprend à Freud l'analyse du souvenir d'enfance comme «souvenir-écran» : une formation de compromis entre le refoulé et les défenses ; la condensation, autour d'un contenu anodin, mais à forte valeur affective, d'éléments réels et fantasmatiques appartenant à différentes périodes de l'enfance. Sa vérité n'est donc pas factuelle, mais psychique. L'écriture autobiographique est la ré-écriture d'une enfance et d'une histoire que nous remanions tous en récit, au long de notre existence. Sa déconstruction doit donc passer par l'analyse du réseau textuel, car la vie s'est ici faite texte. On est loin de Fernandez qui veut remplacer les associations libres par «le rapprochement avec les circonstances biographiques» et manque la structuration fantasmatique inscrivant le désir et l'interdit au cœur de toute mémoire.

Lejeune, à partir des rapports entre contenu narratif, sujet de l'énoncé et sujet de l'énonciation, analyse le travail du sujet écrivant, entre imaginaire et langage. Ces recherches récentes s'inscrivent dans les changements d'une lecture analytique plus attentive à l'écriture elle-même.

Le détour interprétatif

L'intérêt d'un texte critique ne se mesure pas toujours à ses intentions affichées : l'attention portée aux cheminements et aux particularités inaperçues d'une œuvre est essentielle. C'est là qu'interviennent les problèmes de méthode.

Freud s'est élevé contre la traduction directe des symboles dans les rêves : pour lui, un symbole (sexuel par exemple) ne trouve sa véritable signification que dans le *contexte* singulier d'*un* rêve ou du conflit psychique d'*un* sujet rêvant. La traduction symbolique a beaucoup été reprochée à la critique jungienne. Cependant, Charles Baudouin fait exception, puisque, dès 1924, dans *Le Symbole chez Verhaeren*, il veut «défaire les condensations» et «déceler les déplacements et les refoulements». Il souligne que «les condensations d'images qui forment les symboles ont plus de deux termes» et donc ne peuvent être «traduites». Si le «symbolisme personnel d'un artiste» s'est trouvé «*associé*», dans l'enfance, à certains conflits ou émotions, il évolue au fil de la vie et de l'œuvre : «on ne saurait dresser, une fois pour toutes, le lexique des symboles d'un poète».

Cette pratique réfléchie annonce la méthode de Mauron. En fait, elle renvoie aux deux axes de la lecture analytique que Sarah Kofman définit, à partir de Freud, dans *L'Enfance de l'art* : la lecture «symptômale» et la lecture structurale.

■ *La lecture symptômale*

Elle doit son nom à Freud pour qui «les discours eux-mêmes constituent des symptômes», entendus comme compromis entre inconscient et conscient. On peut parler aussi de la lecture «indicielle» (sur «indice»), à la suite de Ginzburg : nous renvoyons ici à nos «questions de méthode», car le repérage des traces de l'intervention de l'inconscient dans les textes est le critère fondamental d'une critique vraiment analytique.

De la *Gravida*, Freud déclare : «C'est un triomphe de l'esprit que de pouvoir rendre dans une même formule le délire et la vérité». Son analyse construit une double lecture simultanée de ce roman, à partir des ambiguïtés de mots, d'images, de paroles et de situations narratives. Mais le repérage de l'activité de l'inconscient est plus vaste : répétition obsédante, dissonance entre un thème et un affect, bizarrerie, lapsus, étrangeté, contradiction, mot inattendu, absence autant que présence surprenantes, détail mis au premier plan, etc. C'est à partir de là que s'ouvre un autre espace de lisibilité. Si l'on veut s'initier à ce type de lecture, il faut lire les *Clés pour l'imaginaire* d'Octave Mannoni.

La lecture analytique peut s'arrêter là, mais elle peut appeler une lecture structurale qui confirme ou généralise l'interprétation.

■ *La lecture structurale*

Elle se déploie selon deux directions. De la lecture d'un texte, on passe à la mise en relations de différents textes d'un même auteur, pour découvrir une structure psychique particulière : Freud indique cette voie à la fin de la *Gradiva* et Mauron va systématiser cette pratique. Ou bien, on associe des textes d'origine différente pour déceler une structure universelle : ainsi de la triple fonction de la figure féminine pour un sujet masculin, dans «Les trois coffrets» de Freud. Actuellement, André Green représente bien ce courant critique.

Un Œil en trop étudie, à travers le théâtre d'Eschyle, d'Euripide, de Shakespeare et de Racine, les diverses combinaisons de la structure œdipienne qui serait à la fois l'invariant universel du psychisme humain et le modèle de la tragédie. Green évoque bien un possible Œdipe féminin, mais il se consacre ici à l'Œdipe négatif masculin : «Alors que généralement l'analyse des œuvres d'art porte sur le complexe d'Œdipe positif du garçon, c'est-à-dire la situation de rivalité avec le père et d'amour pour la mère, nos trois essais prennent pour objet d'étude la relation d'hostilité du fils à la mère, du mari à la femme, du père à la fille». L'étude est passionnante : du point de vue analytique (en fait, la notion est née de la clinique) ; du point de vue littéraire, car on découvre la structure particulière de chaque pièce et le jeu des signifiants langagiers ou représentatifs (par exemple, le mouchoir de Desdémone). Cependant, peut-on affirmer, à partir d'un corpus si restreint, le caractère strictement œdipien du genre tragique ?

Le danger, pour des critiques moins subtils, c'est la monotonie désespérante de ce que Starobinski appelle «le cercle interprétatif» (*La Relation critique*) : on ne trouve à la fin que l'hypothèse de départ (souvent banale). On n'a pas su, pas voulu, pas osé se laisser «surprendre» par le texte littéraire.

4. La psychocritique de Charles Mauron

L'œuvre littéraire est au cœur des travaux de ce lecteur passionné qu'est Mauron : comme le dit Genette, dans «Psycholecture», il a mis l'instrument psychanalytique au service de la critique. Cependant, la psychanalyse n'est pas instrumentalisée, elle intervient comme une nécessité dans sa démarche critique : en 1938, il avait déchiffré les poèmes de Mallarmé (alors jugés d'un hermétisme total), en éclairant les textes les uns par les autres ; devant les réseaux de métaphores qu'il découvrait, seuls les principes freudiens de l'interprétation des rêves, lui semblaient permettre d'aller plus loin dans la compréhension de l'œuvre et de ses enjeux vitaux. Et c'est en tâtonnant qu'il crée sa méthode et son vocabulaire critiques : *entre* Mallarmé et Freud.

Deux phrases de l'écrivain Bernard Pingaud éclairent le double présupposé de cette démarche critique :

> «Tout un jeu d'associations, dont nous ne possédons pas la clé, subvertit constamment et en même temps organise à notre insu le texte que nous prétendons contrôler» («L'écriture et la cure»). Et, «On n'écrirait pas si l'on pouvait se contenter de rêver (…) On écrit pour autrui (…) L'œuvre, qui s'adresse à l'autre, est en même temps quelque chose d'autre» («L'œuvre et l'analyste»).

En 1948, Mauron crée le terme de «psychocritique» pour

souligner l'autonomie d'une méthode qui doit forger «ses propres outils» en fonction de sa visée, la production esthétique. On peut dire qu'il est le seul inventeur d'une méthode spécifique, analogue mais non identique aux procédures de la pratique analytique elle-même. Ses travaux sont considérables : Mallarmé, Racine, Baudelaire, Molière, Valéry, Hugo, etc.

La méthode, pour ne pas se transformer en recettes inefficaces, suppose un long apprentissage et, de plus, exige une longue fréquentation des textes : Mauron savait Mallarmé par cœur... Cependant, j'espère que la réflexion menée depuis le début de cette étude, aidera à mesurer les apports de ce pionnier d'une lecture vraiment *littéraire*.

Dans sa thèse, *Des Métaphores obsédantes au mythe personnel*. Mauron expose, de façon pédagogique, les quatre temps de sa méthode :

— les «superpositions» permettant la structuration de l'œuvre autour de réseaux d'associations.

— la mise au jour de figures et de situations dramatiques liées à la production fantasmatique.

— Le «mythe personnel», sa genèse et son évolution, qui symbolise la personnalité inconsciente et son histoire.

— L'étude des données biographiques qui servent de vérification à l'interprétation, mais ne reçoivent leur importance et leur sens que de la lecture des textes.

Toutefois, cette présentation appelle quelques remarques :

— La recherche se fait dans un va-et-vient constant entre ces quatre temps : ainsi *La Psychanalyse de Mallarmé* est un «chantier», comme peut l'être le bulletin d'une expérience psychanalytique. La reconstruction logique de la méthode s'opère après coup, comme dans les textes théorico-pratiques en psychanalyse. Notamment, les superpositions et le travail interprétatif interviennent tout au long, produisant modifications et réajustements.

— La méthode est à la fois indicielle, structurale (synchronique) et historique (diachronique).

— Enfin, Mauron est l'un des rares à partir à l'aventure *avec* les textes, pour découvrir la structuration symbolique d'un conflit psychique qu'il ignore au départ.

La pratique des superpositions

«Lire, c'est reconnaître entre les mots des systèmes de relations». Mais, il s'agit de repérer des relations «inaperçues» destinées à devenir des «évidences aveuglantes», en adaptant à la lecture littéraire le principe des «associations libres» et de «l'écoute flottante». Tout texte peut servir de contexte associatif à un autre, et toute lecture entend dans un texte les échos des autres. A la base, les processus inconscients : condensation, déplacement, élaboration secondaire etc. On travaille ici avec la première topique freudienne : Inconscient/Préconscient/Conscient.

Superposer n'est pas comparer. On compare des objets manifestement analogues et l'on cerne aussitôt leurs différences en même temps que leurs ressemblances. Superposer, c'est chercher des *coïncidences* de signifiants verbaux ou figuraux dans des textes manifestement différents. Voilà qui suppose un «brouillage» du sens conscient, un bouleversement des structures syntaxiques et sémantiques, «une certaine accommodation du regard». Dans la comparaison, les textes restent distincts ; dans la superposition, ils laissent (provisoirement) la place à une autre organisation que Mallarmé appelait «le miroitement en-dessous», lié au désir de «céder l'initiative aux mots» : en fait, l'autre logique, celle de l'inconscient.

On ne superpose jamais un élément unique, mais un «réseau», comme l'a très bien vu Genette : la coïncidence tient à un ensemble ou système de «métaphores obsédantes». Le réseau associatif est donc une *structure textuelle*, commune à plusieurs textes et «autonome» par rapport au thème conscient de chacun : il dessine une «figure» présente de façon éparse dans chaque texte.

Ainsi, Mauron construit la figure de «l'ange musicien», à partir d'une «architecture de métaphores» repérée dans «Apparition», «Don du poème», «Sainte», «Une dentelle s'abolit», «Le démon de l'analogie», etc. Il organise le réseau autour de quelques points forts nouant mots, images et affects : bonheur perdu/songerie nostalgique/chute/perte, etc. Mais, les superpositions textuelles sont infiniment plus complexes : on entre dans un univers de lecture qui donne un sentiment d'étrangeté et de familiarité ensemble. Par exemple, «ange» regroupe «séraphins», «lampe angélique», «aile», «plumage (instrumental)», «plume», «déplumée»,

«oiseau», etc. Et la présence si énigmatique de «Palmes !» dans
«Don du poème» s'entend grâce à «aile ou palme» du «Démon de
l'analogie». Les divers éléments du réseau ne cessent donc de se
métamorphoser, dans les combinaisons infinies du kaléidoscope.

Mais, dans un poème et dans l'œuvre d'un poète, il y a succession et entrelacement de plusieurs réseaux : chez Mallarmé, au
réseau de l'ange peut se combiner celui, érotique, de la chevelure
et d'autres encore. On peut donc, à son gré, revenir à la lecture d'un
poème pour y suivre la multiplicité singulière des organisations
métaphoriques. On peut encore, à partir de la décomposition des
signifiants opérée par la psychanalyse lacanienne, approfondir le
travail de la symbolisation entre imaginaire et langage, sans
l'arbitraire des lectures qui font comme si le langage parlait tout
seul (était un pur code). Le dialogue se noue entre un sujet écrivant
et des sujets lisants qui ont en commun des textes à métamorphose.
Ainsi, «roseaux», dans «Las de l'amer repos», ne renvoie pas
directement à une image-traduction phallique : c'est d'abord la
condensation de «roses» et «eaux», deux éléments du code symbolique traditionnellement féminins que les textes mallarméens
transforment de façon originale. De même, «mandore» condense
«or», «dore» «dort», «m'endort» et «man (maman) dort» où
s'inscrivent la mort et la présence impossibles à dire de la mère
perdue à cinq ans. De telles interprétations ne sont soutenables que
grâce au cheminement rigoureux et patient de la psychocritique.
C'est pourquoi, je me suis attardée à ce qui est le plus déroutant et
le plus novateur de la méthode.

. *Les figures et les situations dramatiques*

Pour Mauron, «ces structures (poétiques) dessinent rapidement
des figures et des situations dramatiques», mais on aborde directement cette étape avec le théâtre : en lisant Racine, le critique
déclare : «L'élément de tout drame n'est pas le personnage mais les
relations tendues entre deux figures au moins : la situation drama-
tique elle-même». Telle est la différence entre une lecture psychologique et une lecture fondée sur le fantasme qui structure les
rapports intersubjectifs du sujet et, surtout, la *situation intra-
psychique* du sujet : le modèle est ici la seconde topique de Freud :
surmoi/moi/ça.

Mauron définit comme figure du moi la figure «en qui toutes les relations se croisent» : se trouvent donc superposés Pyrrhus, Néron, Titus, Achille, Hippolyte et Eliacin, sans compter Monime-Xipharès. De même, du côté des figures désirées, Andromaque, Junie, Atalide, Iphigénie, etc. ; et, du côté des figures repoussées, Hermione, Agrippine, Roxane, Eriphile, Phèdre ou Athalie ; Bérénice, elle, apparaît (divisée) dans les deux séries. On voit combien, dans la fiction tragique à chaque fois unique, on repère la logique d'un autre drame, celle d'un conflit psychique entre diverses instances de la personnalité.

Or, les «figures» sont déjà, elles-mêmes, le produit des *relations* entre le sujet et ses objets (réels ou fantasmés), donc des aspects de la personnalité inconsciente. Hérodiade figure autant Mallarmé que l'objet féminin désiré, séducteur et interdit, car elle se superpose au Maître du «Sonnet en Yx» ou du «Coup de dés». Mehlman parle de «figures fluides entre moi et non-moi» («Entre psychanalyse et psychocritique»), à découvrir dans une multiplicité et un étagement de relations. Lyotard, dans *Dérives à partir de Marx et de Freud*, parle justement de «fantasmatique générative».

Mauron travaille en effet avec la psychanalyse anglaise marquée par les travaux de Mélanie Klein : *la production fantasmatique* est une activité créative qui commence avec les tout premiers processus psychiques (qui continuent à nous habiter tous), comme l'incorporation, l'introjection, la projection, l'identification projective, le clivage, le deuil et la réparation, etc. Cet imaginaire souvent vu comme aliénant depuis Lacan, reste la source vive de l'art. En ce sens, plutôt que de figures ou d'images, il faudrait parler d'*imago*, notion jungienne reprise par Freud et par Klein : il ne s'agit ni de schèmes universaux, ni de reproductions des êtres réels de l'enfance, mais de productions psychiques composites.

Mauron nous conduit vers ce qu'André Jarry a appelé une *pratique psychanalytique des textes*.

«Le Mythe personnel», selon Mauron

«Dans chaque cas, et quel que soit le genre littéraire, l'application de la méthode révèle *la hantise d'un petit groupe de personnages et du drame qui se jouent entre eux*. Ils se métamorphosent, mais on les reconnaît et l'on constate que chacun d'eux, déjà, caractérise assez bien l'écrivain (...) *Singularité et répétition créent ainsi des figures caractéristiques.* (...) Or ces remarques sur les figures peuvent se répéter pour les situations. La dormeuse de Valéry n'est pas contemplée comme la danseuse de Mallarmé. On aboutit ainsi dans chaque cas à un petit nombre de scènes dramatiques, dont l'action est aussi caractéristique de l'écrivain que les acteurs. *Leur groupement compose le mythe personnel.*

On pourrait se contenter de cette définition empirique, nommer «mythe personnel» le phantasme le plus fréquent chez un écrivain, ou mieux encore l'image qui résiste à la superposition de ses œuvres. Mais ne serait-ce pas demeurer déjà en deçà de nos propres résultats? Nous avons vu comment se forment ces figures mythiques. Elles représentent des «objets internes» et se constituent par identifications successives. L'objet extérieur est intériorisé, devient une personne dans la personne ; inversement, des groupes d'images internes, chargées d'amour et de haine, sont projetées sur la réalité. *Un incessant courant d'échanges peuple ainsi l'univers intérieur*, noyaux de personnalité qui sont ensuite plus ou moins assimilés, intégrés dans une structuration totale. L'image de Déborah, dans les *Trois cigognes*, demeure un souvenir de Maria, enrichi peut-être d'apports étrangers (par exemple, souvenirs de lecture) ; mais elle est déjà une partie de Mallarmé (mi-prédicateur, mi-danseuse) (...) Racine-Bajazet affronte Racine-Roxane. Chaque figure ne peut représenter qu'un moi ou quelque aspect du surmoi ou de l'id (= ça) ; cependant, le nombre des combinaisons demeure pratiquement infini, et leur qualité, imprévisible.» (*Des Métaphores obsédantes au mythe personnel*, J. Corti, 1983).

Nous avons souligné les formules importantes qui résument la démarche critique conduisant de la structuration des textes à la structuration de la personnalité inconsciente. Le «mythe personnel» serait aux frontières des deux : phantasme inconscient («constance et cohérence structurée d'un certain groupe de processus inconscients») *et* scénario préconscient organisant des fictions conscientes. On n'est pas loin du *Mythe individuel du névrosé* que Lacan définit comme «la grande appréhension obsédante du sujet» (à partir de *L'Homme aux rats* de Freud et de *Poésie et vérité* de Goethe).

Il s'agit, bien sûr, d'une construction critique : ainsi, pour Mallarmé : «Je veille, solitaire, dans l'angoisse, car ma sœur morte est derrière cette paroi : elle apparaîtra, musicienne». On ne la trouve réalisée, telle quelle, dans aucun texte. Même *Les Trois cigognes*, narration écrite juste après la mort de Maria, met en scène un vieillard (doublé d'un chat poète et philosophe) recevant la visite de sa fille morte. Bien plus, si Mauron postule un phantasme fondamental commun à la vie et à l'écriture, il fait du «mythe personnel» le fantasme qui soutient l'écriture et se trouve structuré spécifiquement par elle. Donc le «moi social» et le «moi créateur» communiquent sans être identique.

A partir de cette sorte d'invariant, on retourne aux textes : cette fois, «les différences nous intéressent autant que les analogies». Plus même, car d'une fantasmatique figée, on passe au mouvement même de la *fantasmatisation* et de la symbolisation qui transforment le langage et l'imaginaire.

On découvre les variations et les permutations du fantasme. Les variations d'abord : le paysage que le moribond désire derrière «les Fenêtres» se superpose à Déborah, Hérodiade, ou aux nymphes du «Faune». Les lectures, la tradition culturelle fournissent sans cesse de nouvelles incarnations aux pôles du fantasme. Le poète lui-même ne crée qu'à travers un réseau de *substitutions*. D'autre part, des *permutations* se produisent entre les pôles du fantasme : échange de places, passage de l'actif au passif ou au réfléchi, négation, renversement des affects, etc. Toutes ces opérations symboliques sont liées à des jeux dynamiques de forces pulsionnelles.

Pour Mauron, le mythe personnel a une *histoire* : une genèse (un texte d'adolescence) et des avatars divers. Chez Racine, il y a, par exemple, un grand renversement à la fois symbolique et psychique, quand, aux tragédies à trois figures (l'une, masculine, entre deux figures féminines contradictoires), succèdent celles à quatre figures, avec le surgissement de la figure du père dans *Mithridate*. Quand on passe de *Phèdre* (mon père me tue sur l'instigation de ma mère) à *Athalie* (mon père me sauve en tuant ma mère), la transformation n'est pas indifférente !

L'enjeu personnel recouvre évidemment des enjeux socio-culturels entre les sexes et les générations dont l'auteur est comme porteur malgré lui. La force de Mauron est de ne pas masquer derrière une loi-vérité universelle, des conflits qu'il s'obstine à analyser dans leur singularité, même s'ils rencontrent une idéologie générale (et, qui plus est, psychanalytique). Il y a une éthique de Mauron qui refuse de faire de personnages ou d'auteurs, des emblèmes de concepts analytiques définissant l'humain général :

on l'a beaucoup critiqué à cause de cela, en l'accusant d'«humanisme», c'est pourtant ce qui donne à son travail sa valeur de vérité concrète. La voie reste ouverte à des interprétations différentes et surtout à des modifications historiques de la subjectivité.

La place de l'étude biographique

Nous rappelons la problématique de la psychobiographie : comment ne pas déraciner une œuvre d'une existence et d'une histoire concrètes, et, en même temps, ne pas l'expliquer sommairement par tel ou tel système de causalité ?

Quand Mauron parle de «vérification par la biographie», il veut mettre à l'épreuve l'interprétation du mythe personnel et de la «personnalité inconsciente». Cependant, ce qui compte, ce ne sont pas les faits mêmes, mais leur retentissement psychique : or, en l'absence des associations sur le divan, l'œuvre seule peut indiquer comment le sujet se joue et se rejoue son histoire. Ainsi, c'est par la lecture des poèmes que Mauron découvre l'importance, pour Mallarmé, de la mort de sa jeune sœur Maria, événement que les biographes avaient négligé. De même, *Le Démon de l'analogie* pose l'énigme d'une hantise, celle d'une phrase «absurde» : «La Pénultième est morte», associée à des sensations et des images appartenant au réseau de «l'ange musicien», jusqu'à la panique, quand le poète voit, réunies dans la réalité d'une vitrine de luthier, les images intérieures qui tissaient ses textes. Mauron résoud l'énigme : la dernière morte (l'Ultième) est Maria, la Pénultième est la mère morte que jamais Mallarmé n'évoque. Le deuil irréparable est lié à un trauma (une blessure) qui, conformément à la théorie freudienne, naît de la collusion de deux événements, dont l'un reste radicalement inconscient.

Nous terminerons avec cette phrase de Mallarmé : «L'écrivain, de ses maux, dragons qu'il a choyés, ou d'une allégresse, doit s'instituer, au texte, le spirituel histrion» (*Quant au livre*). On notera le double sens de «spirituel» et l'on réfléchira à ce jugement de Mauron pour qui le drame du désir se métamorphose, chez tout écrivain, en drame du désir d'écrire.

5. Nouvelles orientations

Aujourd'hui, la critique psychanalytique, comme la psychanalyse, a une histoire et fait partie de notre paysage culturel. Elle se
trouve confrontée aux modes de lecture nés des autres sciences
humaines, des nouvelles théories du texte et de la production
textuelle.

Les héritiers de Mauron, fidèles à sa méthode, se sont orientés
vers d'autres perspectives. Anne Clancier travaille entre l'analyse
de la personnalité inconsciente et celle de la symbolisation poétique, mais elle met en valeur ce que Mauron passait sous silence,
sa position de lectrice face au texte (transfert/contre-transfert).
Yves Gohin et Serge Doubrovsky se consacrent, sous le terme de
«psycholecture», aux rapports noués entre structures conscientes
et structures inconscientes dans l'extrême singularité d'un texte.
Pour ma part, je suis attentive au travail de l'énonciation : à la
fantasmatisation qui s'arrache à l'expression de fantasmes figés ;
à la distance ou aux contradictions que produit la mise en scène
énonciative. Derrida a souligné fortement cet aspect du texte
littéraire négligé par Lacan («Le Facteur de la vérité»).

Ces démarches critiques se distinguent des lectures thématiques, dans la mesure où elles visent le *refoulé* et non *l'implicite* et
où l'inconscient y garde sa charge de sexualité infantile. Demeure
à part ce monument inclassable qu'est *L'Idiot de la famille* de
Sartre. Cet essai-fleuve consacré à Flaubert, mériterait un long
développement. Soulignons que ce projet anthropologique en-
globe la psychanalyse : on peut crier à la méconnaissance de
notions dites fondamentales, il n'empêche que «la psychanalyse
existentielle» *historicise* tant les composantes du psychisme individuel que la théorie freudienne du devenir-humain.

L'«Inconscient du texte», selon Jean Bellemin-Noël

Vers l'inconscient du texte présente un double aspect : une
méthode et une théorie. La «textanalyse» est une stratégie de
lecture éclatée proche de la «psycholecture», mais le critique
refuse les notions «trop humanistes» d'auteur et de «mythe person-

nel». Il propose d'abord cette heureuse formule – «l'inconscient d'une écrivance» –, qui décentre le sujet par rapport à son texte. Mais «l'inconscient du texte» est une formule ambiguë : Gohin note avec justesse que «l'absence de l'auteur» conduit à postuler un «inconscient impersonnel». Je dirais que cet usage du structuralisme lacanien fait de l'inconscient une simple langue et non une parole : or, il n'y a pas plus d'inconscient en dehors des individus que de langue en dehors des sujets parlants (Saussure). En fait, le danger est de substituer le sujet lisant au sujet écrivant ou encore de prendre pour seul interlocuteur le sujet théoricien.

Cependant, une belle phrase restitue le critique à sa pratique réelle : «un dialogue juste» avec l'autre, «entre lui à moitié muet et moi sourd à demi». On retrouve la spécificité de cette rencontre en décalage autour d'un texte : l'écrivain écrit pour «son public intérieur», comme le dit de M'Uzan, et le lecteur se construit un auteur dans sa lecture.

La sémanalyse de Julia Kristeva

La théorisation de Kristeva est en mouvement : après *Pour une Révolution du langage poétique*, elle s'oriente de plus en plus vers la psychanalyse. Outre *Soleil noir* dont nous avons parlé, citons *Histoires d'amour* ou *Les Pouvoirs de l'horreur*.

Avec la sémanalyse, Kristeva crée une théorie qui brasse tous les savoirs contemporains : le souci d'articuler sémiologie et psychanalyse, est pour nous particulièrement important. Nous renvoyons au chapitre qui lui est consacré dans le livre de Le Galliot, *Psychanalyse et langages littéraires* pour retenir ici deux aspects :

■ L'opposition entre sémiotique et symbolique

Elle est fondamentale dans cette théorie. La sémiotique (du côté du «géno-texte», donc de l'engendrement du texte) est lié au pulsionnel, à l'archaïque, aux pratiques langagières de la prime enfance ou de la schizophrénie : il est désigné comme maternel-féminin. Le symbolique, lui, concerne la loi du langage (organisation des signes, syntaxe, sémantique linéaire, discours construisant le «phéno-texte») : comme chez Lacan, il se confond avec le paternel-masculin. On retrouve la dichotomie qui fonde la philo-

sophie occidentale : mère-corps-nature/père-langage-culture. Mais,
Kristeva tente de lire les textes poétiques comme la confrontation
dialectique de ces deux ordres hétérogènes. En valorisant l'activité
sémiotique, elle restitue à la poésie sa force pulsionnelle (musica-
lité, éclatements du sens, travail de la signifiance, écholalies…),
suivant en partie les travaux du psycholinguiste Fonagy.

■ *Le sujet en procès*

Il est pris entre sémiotique et symbolique, entre sujet pulsionnel, éclaté, «pulvérisé», et sujet «thétique» qui s'affirme dans
l'énoncé. La seule liberté du sujet parlant vient de son jeu imprévisible et singulier avec et contre les signes : c'est le propre du sujet
en procès dont Kristeva voit le modèle dans les poètes de la
modernité (Mallarmé, Artaud, Bataille, Joyce, Céline). La psychanalyse devrait être attentive à «ces crises du sens, du sujet et de
la structure». Kristeva refuse de «sexualiser les productions culturelles» en termes d'homme ou de femme, car le «dire» (le sujet
en son énonciation) échapperait à ces catégorisations. On écrit en
effet pour se défaire de ces rôles ou représentations figées. Mais
notons que les catégories du féminin et du masculin restent le
fondement non interrogé de cette théorie.

Kristeva évoque la difficulté de construire une théorie de ce qui,
par définition, échappe au théorisable : il faut paradoxalement que
le sujet de la théorie soit lui-même «en analyse infinie», ce qu'«*une
femme*, avec d'autres, après tout, peut admettre, avertie qu'elle est
de l'inanité de l'être» («Le sujet en procès»). Peut-on donc sexualiser les productions théoriques ? «Il faut probablement *être une
femme*, c'est-à-dire une garantie ultime de la socialité au-delà de
l'effondrement de la fonction paternelle symbolique, et généra-
trice inépuisable de son renouvellement, de son expansion, – pour
ne pas renoncer à la raison théorique mais la contraindre à
augmenter de puissance en lui donnant un objet au-delà de ses
limites». Pourquoi ce qui est si fortement affirmé dans le domaine
théorique, est-il refusé dans le champ littéraire ? Pourquoi des
écrivains-femmes ne contribueraient-elles pas à ces «crises du
sens, du sujet et de la structure» supposant «des ruptures, une
historicisation» et des contestations variables selon les individus ?

Kristeva ouvre la question de la sexuation du côté de la pensée,
la ferme du côté de la production littéraire : c'est dommage. Car,

parmi les singularisations de l'imaginaire, du désir, des relations au monde, à l'autre et au langage, il est difficile d'évacuer cette dimension de l'humain. A moins que «le rêve d'une hérédité purement paternelle (qui) n'a jamais cessé de hanter l'imagination grecque» (Vernant), ne continue à hanter la culture occidentale refusant l'idée même de pouvoir être mixte, c'est-à-dire le produit, en échanges incessants, des deux sexes. On a pu remarquer que l'ensemble des textes littéraires, théoriques et critiques évoqués dans notre étude sont des textes écrits par des hommes : la psychanalyse, théorie de la sexualité, n'a pas échappé à l'idéologie du masculin-général. Sans cesse, elle revient à la question de la féminité qui est son point d'achoppement : sa «tâche aveugle», dit Luce Irigaray. En définitive, la double sexuation reste à l'horizon de la théorie freudienne comme une visée inaccessible.

C'est pour continuer l'expérience menée pendant mon analyse, – expérience qui ne trouvait pas de place ni de mots dans la théorie elle-même –, que j'ai essayé de lire de façon analytique les textes de Duras, en allant à la découverte. Ni exclusion, ni réduction des textes de Duras, au nom de l'universel ou du féminin codifié. Et, si des formations imaginaires, des symbolisations, des structures narratives, ne peuvent être prises en charge par la théorie analytique, c'est la théorie qui doit changer. Telle était ma position dans *Territoires du féminin*. Nous retrouvons la distinction faite au début de ce chapitre entre concepts opératoires (autour des processus inconscients) et concepts explicatifs qui, eux, sont liés au caractère socio-historique de la psychanalyse.

L'orthodoxie analytique dénie précisément ce caractère socio-historique de ses concepts canoniques qui veulent définir le devenir-humain : l'Œdipe, la prééminence de la filiation et de la fonction paternelle, l'unicité phallique du sexe et du désir, etc.

Vernant conteste, au nom d'une «psychologie historique», le caractère unilatéralement explicatif, par la théorie freudienne, du mythe d'Œdipe. Lévi-Strauss fait de la théorie freudienne, une «version» de ce mythe. A cela, Green répond avec un dogmatisme suspect : tant que la famille existera, il y aura l'Œdipe. Ne confond-il pas les questions fondamentales (celles d'être né(e) de deux, de la différence des sexes et des générations) avec la réponse qu'est l'Œdipe classiquement au masculin ? Laplanche, au contraire, dans *La Nef*, déclare : «Les structures de l'inconscient et du fantasme sont susceptibles d'évoluer avec celles de l'échange et de la famille».

Le fétichisme des concepts me paraît menacer l'écoute des changements collectifs que la littérature élabore toujours un temps plus tôt que la théorie : l'écoute des textes de femmes négligés de façon ancienne et massive ; celle des textes d'hommes marginalisés ou réduits aux idées, aux formes et à l'imaginaire acceptée. Ajoutons que la théorie analytique doit être vue comme un champ de recherches multiples et parfois contradictoires, et non comme une doctrine vouée à exclure tout ce qui menace l'orthodoxie communautaire. Nous voilà arrivés au cœur des problèmes contemporains.

BIBLIOGRAPHIE

De nombreux textes ont été cités : on les retrouvera dans les ouvrages généraux que nous citons ici et qui comportent d'excellentes bibliographies.

I. Ouvrages consacrés à la critique psychanalytique

Bellemin-Noël Jean, *Psychanalyse et littérature*, Que sais-je ? P.U.F., 1972 (excellente bibliographie).

Clancier Anne, *Psychanalyse et critique littéraire*, Privat, 1973. Rééd. 1989 (Chapitre sur Mauron).

Le Galliot Jean, *Psychanalyse et langages littéraires*, Nathan, 1977. (Chapitre de Simone Lecointre sur Kristeva).

Gohin Yves, «Progrès et problèmes de la psychanalyse littéraire», in *La Pensée*, Octobre 1980 (Bibliographie nouvelle).

II. Ouvrages de référence

Laplanche et Pontalis, *Vocabulaire de la psychanalyse*, P.U.F.

Beugnot et Moureaux, *Manuel bibliographique des études littéraires*, Nathan, 1982.

III. *Ouvrages sur Freud, Klein et Lacan*

Mannoni Octave, *Freud*, Ecrivains de toujours, Seuil, 1968.

Robert Marthe, *La Révolution psychanalytique*, 2 vol. PBP, 1969.

Segal Hanna, *Introduction à l'œuvre de Mélanie Klein*, P.U.F., 1969.

Marini Marcelle, *Lacan*, «Dossiers», Belfond, 1986, Rééd. 1988.

IV. *Divers*

Irigaray Luce, *Speculum de l'autre femme*, éd. de Minuit, 1974.

Lévi-Strauss Claude, *Anthropologie structurale*, éd. Plon, 1958.

Vernant Jean-Pierre et Vidal-Naquet Pierre, *Mythe et tragédie en Grèce ancienne*, éd. Maspero, 1974.

III. La critique thématique

par Daniel Bergez

Introduction

On a pris l'habitude, depuis quelques décennies, de parler de
«thèmes» dans les études littéraires. Les groupements thématiques ont fait leur apparition dans les programmes de certains
concours, aux épreuves orales du Baccalauréat, et dans les ma-
nuels scolaires. La notion semble donc aller de soi. Elle est
pourtant problématique, si on la rapporte au courant critique
auquel elle a prêté son nom.

Dans les années 50, la critique thématique a été globalement
assimilée à la «nouvelle critique» qui a suscité d'âpres polémiques
entre tenants et adversaires de la modernité. Or cette assimilation
est trompeuse : la nouvelle critique s'est surtout développée à
l'enseigne de la linguistique, du structuralisme et de la psychanalyse, trois courants par rapport auxquels la critique thématique a
toujours entendu préserver son autonomie. Cette confusion a
engendré des apparentements erronés. Roland Barthes et Jean-
Paul Sartre ont ainsi été associés, parfois, à ce courant critique. Or
ils n'en partagent pas les fondements spiritualistes, et s'en sont
progressivement éloignés ; que de distance, chez Roland Barthes,
entre son *Michelet*, et *S/Z* ; chez Sartre entre son *Baudelaire* –
premier essai de «psychanalyse existentielle» – et *L'Idiot de la
famille* ! L'un et l'autre sont passés dans le voisinage de la critique
thématique, mais ce n'est pas autour de cette référence que se
déploie leur réflexion critique.

C'est le cas, en revanche, de tous ceux que nous avons choisi
d'évoquer dans ce chapitre : Georges Poulet, Jean Rousset, Jean
Starobinski, Jean-Pierre Richard, tous influencés par les travaux
de Gaston Bachelard, et, de façon plus souterraine, par les fonda-

teurs de l'«Ecole de Genève», Albert Béguin et Marcel Raymond. Ces critiques sont ou ont été liés par des relations d'amitié et d'estime, mais aussi par la curiosité attentive qu'ils se portaient. Ainsi Albert Béguin, dont un recueil d'articles a été préfacé par Marcel Raymond, a consacré des articles pertinents à ses confrères, Gaston Bachelard et Jean Rousset ; Jean Starobinski a préfacé *Les Métamorphoses du cercle* de Georges Poulet, qui a lui-même préfacé *Stendhal et Flaubert* de Jean-Pierre Richard. Ces critiques se regardent travailler pour mieux s'interroger sur leur propre démarche.

C'est que le point de vue thématique n'a rien d'un dogme ; il ne s'articule pas autour d'un corps de doctrine, mais se développe comme une recherche à partir d'une intuition centrale. Son point de départ est sans doute le rejet de toute conception ludique ou formaliste de la littérature, le refus de considérer un texte littéraire comme un objet dont on épuiserait le sens par une investigation scientifique. L'idée centrale est que la littérature est moins objet de savoir que d'expérience, et que celle-ci est d'essence spirituelle. Marcel Raymond dit ainsi avoir été attiré chez Rousseau par «une expérience d'ordre mystique» (*Jean-Jacques Rousseau, la quête de soi et la rêverie*) ; quant à Georges Poulet, évoquant son expérience littéraire à 20 ans, il écrit :

> «La littérature me paraissait s'ouvrir à mon regard sous l'aspect d'une profusion de richesses spirituelles qui m'étaient généreusement octroyées.» (*La Conscience critique.*)

Il était naturel, dans ces conditions, que ces critiques se tournent en priorité vers la poésie ; c'est à elle que sont consacrés les textes les plus denses d'Albert Béguin, c'est elle qu'interroge le plus souvent Gaston Bachelard, pour qui «la poésie est une fonction d'éveil» (*L'Eau et les rêves*). Tous sont sensibles à la vocation existentielle qu'assume la poésie depuis le Romantisme : «depuis moins de deux siècles, la poésie assume consciemment une fonction ontologique – je veux dire, tout ensemble, une expérience de l'être et une réflexion sur l'être.» (J. Starobinski, préface à *Du mouvement et de l'immobilité de Douve*, d'Yves Bonnefoy).

1. Situation historique

La critique thématique est en effet idéologiquement fille du Romantisme. Cependant la référence aux «thèmes» dans les études littéraires est bien antérieure. Le terme est hérité de l'ancienne rhétorique, qui accordait une grande importance au «topos», élément de signification déterminant dans un texte donné. Il fallut toutefois attendre les développements du comparatisme – linguistique et littéraire –, au début du XIXᵉ siècle, pour que la notion gagne en importance : le «thème» fournit alors un élément commun de signification ou d'inspiration, qui permet de comparer à partir d'un même «index» des œuvres d'auteurs différents.

L'héritage romantique

A la même époque le courant romantique, notamment allemand, développe une théorie de l'œuvre d'art qui, plus d'un siècle plus tard, sera prolongée par la critique thématique. Pour le «groupe d'Iéna», l'œuvre d'art n'est plus pensée en fonction d'un modèle préalable qu'il conviendrait de reproduire ; elle renvoie à une conscience créatrice, à une intériorité personnelle qui se subordonne tous les éléments formels et contingents de l'œuvre : sujet d'inspiration, «manière», composition, etc. L'influence de la pensée allemande se fera encore sentir chez les critiques de l'«Ecole de Genève», et se prolongera dans l'esprit des thématiciens *via* la philosophie de Heidegger. Il n'est donc pas surprenant que la critique thématique ait fait du Romantisme son époque de prédilection. A. Béguin, M. Raymond, G. Poulet, J.-P. Richard, lui ont consacré des études. Ils y voient le triomphe d'une littérature de la conscience qui s'accorde avec leur propre démarche : «le point de départ unique de tous les romantiques quelle que soit la diversité de leurs points d'arrivée, c'est immanquablement l'acte de conscience» (G. Poulet, *Entre moi et moi*).

Dans la perspective romantique, l'art n'est pas d'abord une construction formelle, il vaut en tant qu'il est générateur d'expérience, et producteur d'un sens qui retentit sur la vie. Tous les critiques d'inspiration thématique s'accordent sur ce point : «si, au sortir de l'expérience (de lecture et d'interprétation), le monde et la vie de l'interprète n'ont pas trouvé eux-mêmes un accroissement de sens, valait-il la peine de s'y aventurer ?» (J. Starobinski, *La relation critique*). Dans cette expérience double – puisqu'elle concerne autant le lecteur que l'écrivain –, la réalité formelle de l'œuvre ne saurait être étudiée pour elle-même. L'œuvre d'art est l'«épanouissement simultané d'une structure et d'une pensée (...) amalgame d'une forme et d'une expérience dont la genèse et la naissance sont solidaires» (J. Rousset, *Forme et signification*). Selon J. Starobinski, Rousseau a été l'un des premiers, dans l'histoire des lettres en France, à vivre ce «pacte du moi avec le langage» (*Jean-Jacques Rousseau, la transparence et l'obstacle*), à faire dépendre son destin d'homme de sa création verbale. Il y a donc chez Rousseau confusion entre l'existence, la réflexion et le travail littéraire : l'écrivain non seulement se dit mais se crée dans l'engagement des mots. Rousseau, et après lui les Romantiques, ont ainsi proposé une conception à la fois spiritualiste et dynamique de l'acte créateur : l'œuvre est l'aventure d'un destin spirituel, qui se réalise dans le mouvement même de sa production.

La filiation proustienne

Marcel Proust prolongera cette conception, dans son *Contre Sainte-Beuve* comme dans certaines pages de *A la Recherche du Temps perdu*. En affirmant le nécessaire dépassement du point de vue biographique, en récusant toute conception exclusivement artisanale du travail créateur et toute définition limitative du style, il prolongeait l'héritage romantique tout en jetant les bases de la future critique thématique. En posant que le style n'est pas affaire de technique mais de vision, que l'œuvre engage une perception du monde singulière qui fait corps avec le matériau dont elle est faite, il définissait le style dans sa double réalité indécomposable de création linguistique et d'univers sensible. Sa lecture des œuvres le conduisait ainsi à approcher la notion de thème telle qu'elle serait utilisée par la critique littéraire au milieu du siècle :

> «Cette qualité inconnue d'un monde unique (...) peut-être estce en cela, disais-je à Albertine, qu'est la preuve la plus authentique du génie, bien plus que le contenu de l'œuvre elle-même. (...) J'expliquais à Albertine que les grands littérateurs n'ont jamais fait qu'une seule œuvre ou plutôt réfracté à travers des milieux divers une même beauté qu'ils apportent au monde. (...) Vous verrez dans Stendhal un certain sentiment de l'altitude se liant à la vie spirituelle : le lieu élevé où Julien Sorel est prisonnier, la tour au haut de laquelle est enfermé Fabrice, le clocher où l'abbé Blanès s'occupe d'astrologie et d'où Fabrice jette un beau coup d'œil.» (*La Prisonnière*)

2. Soubassements philosophiques et esthétiques

Le moi créateur

La conception proustienne, dépassant la distinction tradition-nelle de la forme et du contenu, engage aussi nécessairement une nouvelle définition du moi créateur. Proust s'en explique claire-ment dans le *Contre Sainte-Beuve* : «un livre est le produit d'un autre moi que celui que nous manifestons dans nos habitudes, dans la société, dans nos vices. Ce moi-là, si nous voulons essayer de le comprendre, c'est au fond de nous-même, en essayant de le recréer en nous, que nous pouvons y parvenir.» La réflexion de Proust peut paraître contradictoire : le moi dont il parle est à la fois un donné de la psychologie profonde de l'artiste, et l'objet d'une (re)création. Comprenons que le moi créateur s'invente dans le mouvement par lequel il se dit. Il s'exprime donc en se dépassant, et l'acte créateur est inséparable de ce mouvement fondateur.

La plupart des critiques d'inspiration thématique partagent ce sentiment d'une plasticité dynamique du moi. J.-P. Richard, qui cite en épigraphe de *L'Univers imaginaire de Mallarmé* la phrase du poète, «Devant le papier, l'artiste se fait», est sans doute le plus proche de la pensée proustienne :

> «Le style, c'est ce à quoi l'homme ne cesse confusément de tendre, ce par quoi il organise inconsciemment son expérience, ce en quoi il se fabrique lui-même, invente et à la fois découvre la vraie vie». (*Ibid*)

J. Starobinski pense de même que «l'«écrivain, dans son œuvre, se nie, se dépasse et se transforme» (*La Relation critique*) ; et J. Rousset, pourtant plus attentif que tout autre au jeu des formes littéraires, ne craint pas d'affirmer qu'«avant d'être production ou expression, l'œuvre est pour le sujet créateur un moyen de se révéler à lui-même» (*Forme et signification*).

La critique thématique récuse donc aussi bien la conception «classique» de l'écrivain totalement maître de son projet, que la démarche psychanalytique qui réfère l'œuvre à une intériorité psychique qui lui est antérieure. Elle n'oublie ni cette maîtrise ni cet part d'inconscient, mais rapporte la vérité de l'œuvre à une conscience dynamique en train de se faire. C'est pourquoi J. Starobinski, dans *Jean-Jacques Rousseau, la transparence et l'obstacle*, avoue son peu de goût pour l'investigation psychologique et médicale des écrivains, pratiquée par des critiques qui «poussent ces cadavres sur la table d'autopsie, comme s'ils s'apprêtaient à découvrir dans quelque parenchyme lésé le ressort secret des œuvres» ; or, si «l'artiste laisse toujours une dépouille (…), nous n'atteindrons jamais son art dans sa dépouille».

Puisque l'œuvre a une fonction tout à la fois de création et de dévoilement du moi, la critique thématique accorde une attention toute particulière à l'acte de conscience de l'écrivain. Si G. Bachelard parle en ce sens du «cogito du rêveur», la notion récupère une dimension plus intellectuelle chez un G. Poulet ; mais elle n'en est pas moins très éloignée du cogito cartésien. Chez Descartes en effet, le «je pense donc je suis» fonde dans l'assurance et la clarté une ontologie commune à tous les hommes. Chez G. Bachelard et G. Poulet, au contraire, il singularise une conscience et un univers créateur en déterminant par une intuition première, irréductible à toute autre, un rapport au monde spécifique. C'est pourquoi G. Poulet, notamment dans *Entre moi et moi*, qui regroupe des *Essais critiques sur la conscience de soi*, tente de fixer chez les écrivains ce moment hypothétique où le moi existe singulièrement dans et par son acte de conscience. J. Starobinski montre pareillement comment, pour Rousseau, le surgissement de la vérité est inséparable du «dévoilement d'une conscience» (*Jean-Jacques Rousseau, la transparence et l'obstacle*). Le même critique découvre chez Montaigne une problématique semblable :

> «La conscience est, parce qu'elle s'apparaît. Mais elle ne peut s'apparaître sans faire surgir un monde auquel elle est indissolublement intéressée.» (*Montaigne en mouvement*, Gallimard, 1982)

Pour rendre compte de ce dévoilement d'un moi contemporain de l'œuvre, la critique thématique évite souvent de la rapporter à l'individu historique qui en est l'auteur. Dans son étude sur Montaigne, J. Starobinski substitue fréquemment au nom de l'auteur les termes «moi», «sujet», «être». Cette dernière notion est un des tics linguistiques les plus reconnaissables de la critique thématique. J. Rousset y a recours, comme J.-P. Richard, G. Poulet, et G. Bachelard. M. Raymond éclaire les raisons de cette prédilection lorsqu'il affirme que «l'œuvre de Rousseau est malaisée à interpréter. Les mouvements de son être ne se laissent pas facilement réduire à une analyse unifiante» (*Jean-Jacques Rousseau, la quête de soi et la rêverie*). Au-delà du seul cas de Rousseau, il suggère en effet que le travail critique tente de saisir un moi dans ses fluctuations, et surtout dans ce mouvement essentiel et fondateur par lequel il se réalise en s'engageant dans son œuvre.

La relation au monde

L'accent mis sur l'acte de conscience engage nécessairement une pensée du rapport au monde. La philosophie moderne nous a en effet convaincus que toute conscience est conscience de quelque chose, de soi ou de l'univers d'objets qui nous entoure. G. Poulet en déduit cette loi générale :

> «Dis-moi quelle est ta façon de te figurer le temps, l'espace, de concevoir l'interaction des causes ou des nombres, ou bien encore ta manière d'établir des rapports avec le monde externe, et je te dirai qui tu es.» (*Entre moi et moi*, J. Corti, 1977)

L'un des concepts majeurs de la critique thématique est donc celui de relation ; c'est par son rapport à lui-même que le moi se fonde, c'est par sa relation à ce qui l'entoure qu'il se définit. L'insistance sur le thème du regard – acte relationnel par excellence – doit sans doute beaucoup à cette intuition : chez G. Bachelard, pour qui «le regard est un principe cosmique» ; chez J. Rousset qui, dans *Leurs Yeux se rencontrèrent*, consacre une série d'études à «la scène de première vue dans le roman» ; ou encore chez J. Starobinski, qui place l'acte critique à l'enseigne de «l'œil vivant».

Cette philosophie du rapport fondateur doit beaucoup au développement de la phénoménologie. Bachelard avait été marqué par Husserl ; ses successeurs seront influencés par Merleau-Ponty. Celui-ci définit la phénoménologie comme «une philosophie qui replace les essences dans l'existence et ne pense pas qu'on puisse comprendre l'homme et le monde autrement qu'à partir de leur "facticité"» (*La Phénoménologie de la perception*). Dans cette perspective, «les sens ont un sens», selon l'expression d'Emmanuel Levinas ; ce qui pousse A. Béguin à récuser la fausse «distinction entre moi et les objets, qui me fait croire que mes organes de perception "normale" enregistrent l'exacte copie d'une "réalité".» (*L'Ame romantique et le rêve*).

L'approche phénoménologique était déjà privilégiée par Proust, notamment dans les pages célèbres que le narrateur consacre à la vision de sa chambre au réveil, au début de *A la Recherche du Temps perdu*. Cette perspective est devenue dominante dans la critique thématique, qui s'attache souvent à définir un mode d'«être-au-monde» à partir des textes littéraires. Tel est le projet d'un J. Starobinski dans les deux grands livres qu'il a consacrés à Rousseau et Montaigne. Il montre que pour le premier «il s'agit bien d'atteindre les autres, mais sans se quitter soi-même, en se contentant d'être soi et de se montrer tel qu'on est» (*Jean-Jacques Rousseau, la transparence et l'obstacle*) ; quant au second, il nous convainc que «l'individu n'entre en possession de lui-même que dans la forme réfléchie de son rapport aux autres, à tous les autres» (*Montaigne en mouvement*).

La lecture thématique des œuvres s'organise donc souvent en fonction des catégories de la perception et de la relation : temps, espace, sensations... Pour G. Poulet «la question *Qui suis-je ?* se confond (...) naturellement avec la question *Quand suis-je ?* (...) Mais à cette question correspond aussi non moins naturellement une autre question analogue : *Où suis-je ?*» (*La Conscience critique*). Les quatre tomes de ses *Etudes sur le temps humain* répondent à ce projet. Si cette préoccupation est moins systématique chez les autres représentants de la critique thématique, elle n'en dirige pas moins souterrainement leur réflexion ; ainsi J. Rousset distingue-t-il deux types d'attitudes face au temps à l'époque baroque, en opposant «ceux qui s'offrent complaisamment à l'expérience de la multiplicité mouvante et ceux qui la refusent ou s'emploient à la dépasser» (*La Littérature de l'âge baroque en France*). Sur ce point encore, la voie avait été tracée par G. Bachelard : c'est lui qui, le premier, avait montré comment l'imagination créatrice s'approprie le temps et l'espace selon un modèle révélateur d'un «être-au-monde» propre à l'artiste.

Le style d'expression de la critique thématique se ressent de cette inflexion, en faisant des catégories de perception un large usage métaphorique. C'est surtout vrai de l'espace ; par exemple lorsque J. Starobinski commente les *Rêveries* de Rousseau :

> «A partir de ce moment, un nouvel espace pourra se déployer : un espace temporalisé, centré sur le moi, animé et peuplé par l'expansion du sentiment. Tel est l'espace de la promenade.» (*Jean-Jacques Rousseau, la transparence et l'obstacle*)

Dans un sens parallèle, les modalités de la perception acquièrent souvent une réalité substantielle, qui témoigne de leur importance dans l'«être-au-monde» de l'artiste. Ainsi chez un J.-P. Richard, le rugueux, le velouté, le marbré, le fané, le vernissé, etc., perdent leur fonction d'attributs pour devenir de véritables substances. De même J. Starobinski souligne chez Montaigne l'importance des «qualités matérielles du plein et du vide, du lourd et du léger, qui sont inséparables des images du mouvement» (*Montaigne en mouvement*). L'écriture des thématiciens élargit et déplace ainsi le jeu de la caractérisation : l'appréciation critique ne porte pas seulement sur une conscience, un objet ou un être, mais sur les moyens et modalités des relations qui les unissent. L'impression sensible peut alors avoir autant d'importance que la pensée réfléchie.

Imagination et rêverie

Dans le cadre d'une œuvre d'art, la perception est indissociable d'une création. On ne peut donc l'analyser en la rapportant simplement à un donné antérieur dont elle ne serait que la transcription. Nous retrouvons ici le paradoxe de la réflexion de Proust sur le moi créateur : si l'artiste se révèle dans son œuvre, il se construit tout aussi bien par elle. La critique thématique postule donc une relation double, d'implication réciproque, entre le sujet et l'objet, le monde et la conscience, le créateur et son œuvre. G. Bachelard, qui aimait à citer cette image d'Eluard : «comme on transforme sa main en la mettant dans une autre», écrivait aussi : «Nous croyons regarder le ciel bleu. C'est soudain le ciel bleu qui nous regarde.» (*L'Air et les songes*). J. Starobinski tire les conséquences de cette intuition en affirmant, dans *La Relation critique*, «le lien nécessaire entre l'interprétation de l'objet et l'interprétation de soi».

C'est pourquoi la critique thématique est particulièrement attentive à tout ce qui, dans un texte, relève d'une dynamique de l'écriture. J. Starobinski s'attache à montrer le «schème qui gouverne la pensée de l'histoire chez Rousseau» (*La Relation critique*), et n'intitule pas pour rien son étude sur l'auteur des *Essais*, *Montaigne en mouvement* : il y relève notamment «la construction par bourgeonnements successifs qui est la matière même de Montaigne». Et J.-P. Richard, commentant Mallarmé, se propose d'épouser «le déploiement» de l'œuvre, au lieu de rester sur son «seuil» (*L'Univers imaginaire de Mallarmé*) : façon pour lui de ne pas fossiliser le travail de l'écrivain en le réduisant à un objet d'étude, mais de le prendre dans son mouvement créateur.

La critique thématique ne peut donc qu'entretenir des relations conflictuelles avec la psychanalyse – même si certains de ses représentants, J. Starobinski et J.-P. Richard notamment, lui doivent beaucoup. Les points de convergence sont, il est vrai, importants : même attention privilégiée aux images ; même désir de dépasser le sens manifeste des textes ; même recours à une lecture «transversale» des œuvres, qui permet des rapprochements, et fait apparaître, par analogie, des figures et schémas dominants. Mais les deux approches s'opposent radicalement sur la relation qu'elles postulent entre le sujet créateur et son œuvre. La psychanalyse tend à faire de celle-ci un complexe de signes renvoyant à une situation psychique antérieure, et ayant un rôle de sublimation : l'art fait parler, par le biais de l'illusion, un désir autrement empêché de se manifester. Gilbert Durand en conclut que «les images chez Freud ne sont que des masques – plus ou moins honteux – des déguisements dont le refoulement revêt la libido censurée. L'image au fond, chez Freud, n'est qu'un cache-sexe.» («Jung ou le polythéisme de Psyché», *Le Magazine littéraire*, n° 159/160). Pour un G. Bachelard au contraire, il ne faut pas rapporter l'image à sa genèse, la rattacher à une antériorité, mais la saisir dans sa naissance et la vivre dans son devenir. Le biographisme et l'investigation psychanalytique sont donc réducteurs et mutilants : puisque «l'œuvre est à la fois sous la dépendance d'un destin vécu et d'un futur imaginé» (J. Starobinski, *La Relation critique*), elle déjoue les schémas d'une causalité rétrospective.

Rien ne montre mieux cette orientation critique que la référence insistante à la notion d'imagination. Elle permet aux thématiciens de s'éloigner d'une conception fonctionnaliste du psychisme humain, et d'en faire une faculté créatrice et réalisante. Pour G. Bachelard, qui a tracé la voie dans ce domaine à tous les critiques d'inspiration thématique, l'imagination est un dynamisme organisateur, à mille lieues de l'effet de «néantisation» du réel que lui attribue J.-P. Sartre : elle organise le monde propre à l'artiste parce qu'elle est un phénomène d'être : «Une simple image, si elle est nouvelle, ouvre un monde. Vu des mille fenêtres de l'imaginaire, le monde est changeant. Il renouvelle donc le problème de la phénoménologie» (*La Poétique de l'espace*).

Le concept de rêverie, aussi fréquent dans la critique thématique, éclaire cette conception. Il séduit aussi bien M. Raymond (*Romantisme et rêverie* ; *Jean-Jacques Rousseau, la quête de soi et la rêverie*), A. Béguin (*L'Ame romantique et le rêve*), que J. Starobinski, qui a consacré des pages décisives aux *Rêveries du promeneur solitaire* de Rousseau, et au mouvement «rêveur» de la pensée chez Montaigne. La rêverie est ici presque l'opposé du rêve tel que l'appréhende la psychanalyse : alors que le rêve nocturne dissout la conscience au profit d'une langue de l'inconscient, la rêverie maintient la conscience à un certain niveau d'activité ; elle se place dans un entre-deux indécis où l'imagination créatrice pourra jouer à plein. M. Raymond, commentant l'un des sens du verbe «rêver» au XVIIIe siècle, écrit ainsi :

> «Le fil conducteur est celui du "laisser-aller", de la détente, qui suit la distraction. Echappant aux cadres de la logique, on se dépayse, on s'altère, on s'aliène. Mais (...) on court aussi la chance de se rencontrer, d'entrer dans un autre soi-même». (*Jean-Jacques Rousseau, la quête de soi et la rêverie*)

L'intuition d'une imagination créatrice, et l'attention portée à la rêverie, relèvent d'une conception du psychisme placé sous le signe de la conciliation. Alors que la psychanalyse met en scène des conflits, dresse l'inventaire des forces pulsionnelles qui s'affrontent, la critique thématique tente plutôt d'étudier comment l'œuvre crée un équilibre où se résolvent heureusement les contradictions. J. Starobinski le montre bien chez Rousseau :

> «La fonction de la rêverie seconde consiste (...) à résorber la multiplicité et la discontinuité de l'expérience vécue, en inventant un discours unifiant au sein duquel tout viendrait se compenser et s'égaliser.» (*Jean-Jacques Rousseau, la transparence et l'obstacle*)

La critique thématique s'oppose de la sorte à l'une des constantes majeures de la pensée moderne (représentée notamment par le structuralisme) : l'idée que le sens, et la valeur, sont toujours différentiels, que ce sont les écarts qui sont les plus signifiants ; la critique thématique est plutôt proche d'un philosophe comme René Girard, pour qui la loi générale de signification est la ressemblance. Le «thème» étant, pour l'essentiel, défini par sa récurrence, sa permanence à travers les variations du texte, c'est bien à cette loi de conciliation par l'identité qu'obéit la démarche thématique.

3. La démarche thématique

L'œuvre comme totalité

Le privilège accordé aux relations de ressemblance, qui renvoient à un imaginaire «heureux», pousse les critiques d'inspiration thématique à homogénéiser leur lecture des œuvres : ils cherchent à en dévoiler la cohérence latente, à révéler les parentés secrètes entre ses éléments dispersés. Cette démarche critique se veut donc «totale», et elle l'est dans ses fins comme dans ses méthodes : parce que c'est une expérience d'«être-au-monde», telle qu'elle se réalise dans l'œuvre, qu'il s'agit de saisir ; et parce que c'est à travers la totalité organique du texte considéré que le critique tentera de l'appréhender. Cette ambition globalisante se réfracte dans le choix de sujets d'analyse privilégiés : la question du moi, de son unité, de sa cohérence, est par exemple constamment posée, parce qu'elle renvoie et à l'idée unitaire de l'œuvre, et à une démarche critique unifiante. J. Starobinski définit dans ce sens l'une des ambitions majeures de Rousseau :

> «Le besoin d'unité habite à la fois l'élan vers la vérité et la revendication orgueilleuse. Parce que Rousseau veut *fixer* sa vie, il lui donnera pour fondement ce qu'il y a de plus immuable – la Vérité, la Nature – et pour s'assurer dorénavant d'être fidèle à lui-même, il proclamera hautement sa résolution, il prendra le monde entier à témoin.» (*Jean-Jacques Rousseau, la transparence et l'obstacle*)

Une telle «passion de la ressemblance» (c'est le sous-titre d'une étude que J. Rousset a consacrée à Albert Thibaudet) entraîne des conséquences linguistiques aisément identifiables ; notamment une abondance d'expressions généralisantes, qui visent à condenser le tout de l'œuvre en quelques mots définitifs («Rien de moins fixe, donc, ...», G. Poulet, *Entre moi et moi* ; «Rien de plus révélateur que ...», J. Starobinski, *Jean-Jacques Rousseau, la transparence et l'obstacle* ; «Tout part en effet ici ...», J.-P. Richard, *Nausée de Céline*). J. Rousset a senti le danger de cette démarche : revenant quinze ans après sur *La Littérature de l'âge baroque en France*, qui fut son premier grand ouvrage, il en conteste le principe méthodologique : l'idée d'«un système unitaire dont les divers registres devaient nécessairement communiquer les uns avec les autres.» (*L'Intérieur et l'extérieur*). G. Poulet, quant à lui, entend se prémunir contre ce danger dans l'avant-propos de *La Poésie éclatée*, en expliquant que «dès que nous cherchons à dégager l'originalité des personnes prises isolément, il n'y a plus de ressemblances (ou celles-ci deviennent secondaires). Ce qui compte alors, c'est la différence qualitative qui fait qu'aucun être de génie ne se laisse identifier avec quelque autre». Une telle insistance est révélatrice : elle tient de l'aveu autant que de la conjuration.

Ce que la critique thématique perd parfois en sens des nuances, du fait de sa visée globalisante, elle le compense sans doute, pour la même raison, grâce à la mobilité de son discours sur l'œuvre. Les hiérarchies rassurantes qui disposent les instances traditionnelles – auteur, contexte, projet, sens, forme, etc. – les unes relativement aux autres selon des rapports de causalité, sont en effet bousculées par l'idée d'une totalité organique de l'œuvre, placée sous l'égide d'un imaginaire créateur. Dès lors la parole critique ne peut opérer que des «trajets» à l'intérieur de l'œuvre. J.-P. Richard, présentant ses *Onze études sur la poésie moderne*, affirme ainsi que ce ne sont que «de simples relevés de terrain : (…) des *lectures*, c'est-à-dire des parcours personnels visant au dégagement de certaines structures et au dévoilement progressif d'un sens». Parcours sans début ni fin, puisque le présupposé unitaire de l'œuvre donne à chacun de ses éléments une égale valeur significative. Là est l'origine de la démarche si particulière d'un J.-P. Richard, qui ne cesse de passer d'un motif à l'autre :

> «Chaque objet, une fois reconnu dans ces catégories constitutives (…) s'ouvre, rayonne vers une multitude d'autres (…) Avec la perspective d'ailleurs de maint embranchement latéral, de mainte relation oblique.» (Conférence prononcée à Venise en 1974 ; texte inédit communiqué par J.-P. Richard).

L'œuvre est donc naturellement polycentrée ; à la conception pyramidale classique (qui implique une hiérarchie, un système de valeurs qui organise et structure le sens), la critique thématique substitue la vision panoramique d'un réseau où tout fait sens, et invite le lecteur à un parcours analogique sans terme prévisible.

Les savoirs inutiles

Parce que la critique thématique déplace ainsi les concepts et outils de mesure, établit des connexions inédites entre des champs épistémologiques habituellement séparés, elle crée une circulation nouvelle entre les notions, redistribue dans un (dés)ordre nouveau les moyens habituels de l'analyse littéraire. Pour qui est familier d'une orthodoxie critique, elle se signale d'abord par ces dépassements de seuils, ces franchissements audacieux, qui perturbent le cadastre habituel des inventaires scientifiques. Au point de départ de ce bouleversement, il y a, on l'a vu, la conviction que l'œuvre est d'abord une aventure spirituelle, qu'elle est trace, moyen et occasion d'une expérience qu'aucun savoir positif ne saurait épuiser. D'où une position anti-intellectualiste (autre point de convergence avec Marcel Proust), qui se traduit par un rejet de la critique d'érudition ou du discours articulé à partir de bases épistémologiques trop contraignantes. J. Starobinski, pourtant peu suspect d'ignorance, imagine ainsi que le critique consente «à partir de plus bas – c'est-à-dire d'un parfait non-savoir, d'une complète ignorance – afin d'accéder à une compréhension plus vaste» (*La Relation critique*).

La science des textes et toutes les sciences humaines ne font pourtant pas défaut aux critiques d'inspiration thématique. Un J. Rousset, dans *La Littérature de l'âge baroque en France*, s'interroge par exemple sur les raisons historiques de l'apparition du baroque, qu'il situe, à la fin de son livre, entre un «classicisme renaissant» et un «long classicisme de coloration baroque après 1665», et propose des développements particulièrement informés sur ce domaine peu connu de l'histoire littéraire en France qu'est le théâtre dans la première moitié du XVIIe siècle. La démarche de J.-P. Richard, dans l'édition critique qu'il a donnée de *Pour un tombeau d'Anatole* de Mallarmé, n'est pas moins traditionnelle et universitaire dans son articulation. Les analyses linguistiques sont il est vrai plus rares – peut-être parce qu'elles postulent une assimilation de l'œuvre à sa seule réalité verbale, «objective». Presque totalement absentes chez G. Bachelard et G. Poulet, elles interviennent subtilement chez J.-P. Richard et J. Starobinski ; mais elles ne sont fréquentes que chez J. Rousset : l'auteur de *Forme et signification* étudie par exemple précisément la métaphore des «violons ailés» dans la littérature baroque, développe des analyses de narratologie (statut du narrateur, régime temporel, perspectives narratives...) dans *Narcisse romancier*, ou encore s'interroge sur «le destinataire dans le texte» dans *Le Lecteur intime*.

L'exemple de J. Rousset montre cependant que ces inventaires «techniques» ne sont jamais que des adjuvants au service d'un projet critique qui les dépasse : les problèmes d'écriture qu'il évoque sont toujours reliés à un enjeu existentiel majeur, comme lorsqu'il montre l'importance thématique de la place du narrateur dans *La Jalousie* de Robbe-Grillet.

Le point de vue du «lecteur»

Si les savoirs restent toujours auxiliaires pour la critique thématique, celle-ci ne peut revendiquer cependant une hypothétique transparence : il n'y a pas de discours innocent. Quel est donc le *lieu* à partir duquel s'exprime le critique ? Puisque la littérature est conçue au départ comme expérience spirituelle d'une conscience créatrice, ce *lieu* sera cette conscience même. Il s'agira donc de faire corps avec le mouvement qui porte le texte et, comme le note G. Poulet à propos de G. Bachelard, d'«*assumer* l'imagination d'autrui, la reprendre à son compte dans l'acte par lequel elle engendre ses images» («Gaston Bachelard et la conscience de soi», *Revue de métaphysique et de morale*, 1965, n° 1). Etudier un texte relève par conséquent du mimétisme. Sur ce point, la plupart des critiques d'inspiration thématique font preuve d'une remarquable unanimité. Pour G. Poulet :

> «L'acte de lire (auquel se ramène toute vraie pensée critique) implique la coïncidence de deux consciences : celle d'un lecteur et celle d'un auteur. (...) Quand je lis Baudelaire ou Racine, c'est réellement Baudelaire ou Racine qui se pensent et qui se lisent en moi.» (*La Conscience critique*)

J. Rousset pense de son côté que «Le lecteur pénétrant s'installe dans l'œuvre pour épouser les mouvements d'une imagination et les dessins d'une composition» (*Forme et signification*). Même conviction chez J.-P. Richard :

> «L'esprit ne possèdera une œuvre, une page, une phrase, un mot même, qu'à condition de reproduire en lui (et il n'y parvient jamais absolument) l'acte de conscience dont ils constituent l'écho.» (*L'Univers imaginaire de Mallarmé*, Seuil, 1962)

La démarche thématique rejoint sur ce point la «critique de sympathie», représentée notamment par Sainte-Beuve au XIXe siècle, et s'éloigne radicalement de la plupart des orientations de la «nouvelle critique», caractérisée au contraire par la recherche d'une objectivité fondée sur les éléments observables du texte.

C'est que, on l'a vu, la vérité de l'œuvre la traverse et s'y incarne mais ne s'y réduit pas, puisqu'elle est d'essence spirituelle. Il faut donc retrouver par la «sympathie», par une sorte de «capillarité» critique, l'impulsion créatrice qui en est le principe. C'est pourquoi la critique thématique se fixe souvent avec tant d'insistance sur le moment premier, originaire, dont est censée procéder l'œuvre : elle tente d'identifier un point de départ, une intuition première, à partir de laquelle l'œuvre rayonne. Comme l'écrit G. Poulet à propos de Charles Du Bos, «chaque étude critique a (…) pour devoir essentiel de reprendre un élan et de retrouver un point de départ» (*La Conscience critique*). Ce mythe originaire est particulière- ment sensible chez J.-P. Richard, qui, par exemple, après une première citation, commence ainsi l'article qu'il consacre à René Char : «Tel est le climat dans lequel René Char s'éveille tout d'abord aux choses et à l'être» (*Onze études sur la poésie mo- derne*). On songe ici à l'affirmation de Bachelard : «Une image littéraire, c'est un *sens* à l'état naissant» (*L'Air et les songes*).

L'avantage de cette lecture «sympathique» des œuvres est qu'elle permet de préserver et d'éprouver le plaisir presque physio- logique qui naît du contact avec les mots. Il faut lire la poésie, parce que «La poésie est une joie du souffle, l'évident bonheur de respirer» (G. Bachelard, *L'Air et les songes*) ; mais c'est aussi vrai de toute texte littéraire :

> «Lire une page des *Essais*, c'est faire, au contact d'un langage prodigieusement actif, toute une série de gestes mentaux qui transmettent à notre corps une impression de souplesse et d'éner- gie.» (J. Starobinski, *Montaigne en mouvement*)

Pour préserver ce mouvement à la fois spirituel et physiologi- que qu'elle tente d'épouser, la critique thématique s'attache à séparer le moins possible son propre discours des textes qu'elle commente : tantôt elle se contraint à suivre la chronologie des œuvres (ainsi J. Rousset dans *Le Mythe de Don Juan*, ou J. Starobinski dans *Jean-Jacques Rousseau, la transparence et l'obstacle*) ; tantôt elle s'ingénie à multiplier les citations, à tisser ensemble la parole critique et la voix de l'œuvre ; tantôt enfin elle

place le critique dans la position même de l'auteur qu'il commente.
Il arrive ainsi à J. Starobinski de parler à la place de Montaigne :

> «Non seulement je penserai la mort, mais encore la pensant
> comme *ma* mort, je me penserai moi-même par l'intermédiaire de
> la mort : une continuité parfaite, une cohérence massive reliera
> tous mes actes, sous la lumière unifiante de ma dernière heure».
> (*Montaigne en mouvement*)

Le «je» est ici l'instance double où les deux voix jumelles de
l'écrivain et du commentateur viennent se confondre.

Naturellement, on ne peut envisager une coïncidence totale
entre le discours critique et l'œuvre qu'il éclaire : la parole du
commentateur est toujours autre. Si elle vise asymptotiquement à
se constituer comme parole d'adhésion, elle n'en reste pas moins
hétérogène. C'est pourquoi elle se définit souvent dans une relation de «sympathie» distante par rapport aux œuvres littéraires : J.
Starobinski, par exemple, alterne explicitement la lecture «de
surplomb», et la lecture d'adhésion ; J. Rousset ne dissimule pas
sa «position un peu équivoque, celle d'un interprète qui se met tour
à tour à l'intérieur et au-dehors de son objet» (*Le Lecteur intime*).
Et J.-P. Richard en tire cette conséquence :

> «Fidélité médiatrice, infidélité excitante, tel est sans doute le
> double ressort de la fonction critique.» (*Etudes sur le Roman-
> tisme*, Seuil, 1971)

La notion de thème

Dans cette aventure toujours périlleuse qu'est une lecture qui
entend dépasser les horizons traditionnels des sciences humaines
ou des disciplines linguistiques, la notion de thème fournit au
critique le point d'appui indispensable à la cohérence – et à la
communicabilité – de sa démarche. Le thème est le point de
cristallisation, dans le texte, de cette intuition d'existence qui le
dépasse mais qui, en même temps, n'existe pas indépendamment
de l'acte qui le fait apparaître. On ne saurait retenir la définition
qu'en donne J.-P. Weber pour qui le thème est «la trace qu'un
souvenir d'enfance a laissée dans la mémoire d'un écrivain», et
vers lequel convergent «toutes les perspectives de l'œuvre»
(*Domaines thématiques*) : une telle conception est contraignante,
limitative et réductrice autant au plan psychanalytique qu'à celui
de la perception littéraire des textes.

C'est à J.-P. Richard qu'on doit la réflexion sans doute la plus précise et la plus utile sur ce qu'on peut entendre par «thème» :

> «C'est, dans l'espace de l'œuvre, l'une de ses unités de signification : l'une de ces catégories de la présence reconnue comme y étant particulièrement actives.» (Conférence donnée à Venise en 1974)

Ainsi défini, le thème désigne tout ce qui, dans une œuvre, est un indice particulièrement significatif de l'«être-au-monde» propre à l'écrivain. J.-P. Richard s'en explique notamment dans l'introduction de *L'Univers imaginaire de Mallarmé* : après avoir affirmé que le thème est «un principe concret d'organisation, un schème ou un objet fixes, autour duquel aurait tendance à se constituer et à se déployer un monde», il pose la question de son identification : le critère le plus évident paraît être la récurrence d'un mot ; mais il est vrai que le thème déborde souvent le mot, et que, d'une expression à l'autre, le sens d'un même terme peut varier ; l'indice le plus sûr sera donc «la valeur stratégique du thème, ou si l'on préfère, sa qualité *topologique*.» Ce critère est déterminant : une lecture thématique ne se présente jamais comme un relevé de fréquences ; elle tend à dessiner un réseau d'associations significatives et récurrentes ; ce n'est pas l'insistance qui fait sens, mais l'ensemble des connexions que dessine l'œuvre, en relation avec la conscience qui s'y exprime.

A partir de cette définition générale, chaque critique oriente sa lecture en fonction d'intuitions qui lui sont propres (la subjectivité est ici manifeste), pour choisir les thèmes qu'il commente. Le thème est en effet susceptible de renvoyer aussi bien à un «contenu» qu'à une réalité formelle. G. Poulet, par exemple, auteur des *Etudes sur le temps humain*, a également analysé *Les Métamorphoses du cercle* ; dans le premier cas, c'est une catégorie de la perception qui donne son unité à l'inventaire thématique ; dans le second, c'est une simple forme abstraite, un pur tracé géométrique dépourvu de toute signification *a priori*. J. Rousset est sans doute celui qui montre le mieux cette plasticité des thèmes, en donnant à la notion son extension la plus grande : les constantes qu'il étudie concernent autant les formes que les notions, les arts que la littérature, des groupes d'écrivains que des créateurs isolés. Chez lui le thème est proche de l'archétype, ou du mythe collectif, mais son incarnation est toujours précise, sensible et formelle à la fois.

C'est par le choix qu'ils font de thèmes privilégiés que se

différencient le plus visiblement les critiques d'inspiration thématique : la subjectivité qu'ils traquent dans les textes littéraires
conditionne également leur démarche. Il faut donc à présent, après
ce panorama de leurs ressemblances, les considérer isolément. La
place manque pour les évoquer tous. Nous avons choisi ceux qui
nous semblent les plus significatifs : G. Bachelard, G. Poulet et J.-
P. Richard.

4. Gaston Bachelard

Présentant les études qu'il a réunies dans *Poésie et profondeur*,
J.-P. Richard précise : «Comme il s'agissait ici de poésie, la
sensation ne pouvait (…) se séparer de la rêverie qui l'intériorise,
la prolonge. C'est dire tout ce que ce livre doit aux recherches de
Gaston Bachelard.» C'est également sous le patronage du philosophe que se place G. Poulet, qui voit en lui le fondateur d'une
critique littéraire résolument neuve, placée sous le signe de la
conscience, saisie dans l'incarnation des images :

> «A partir de Bachelard il n'est plus possible de parler de
> l'immatérialité de la conscience, comme il devient difficile de la
> percevoir autrement qu'à travers les couches d'images qui s'y
> superposent (…) Après lui, le monde des consciences, et par
> conséquent, celui de la poésie, de la littérature, ne sont plus les
> mêmes qu'auparavant.» (*La Conscience critique*)

L'épistémologue et le poéticien

Précurseur de la démarche thématique, Bachelard ne fut pourtant pas critique littéraire. Philosophe de formation et de métier, il
fut d'abord une épistémologue tourné vers l'histoire des sciences.
Dans *La Formation de l'esprit scientifique* notamment, il s'est
attaché à définir l'esprit d'un rationalisme ouvert et évolutif, aussi
éloigné de l'animisme de la pensée primitive que du rationalisme
cartésien.

Comment l'épistémologue est-il devenu un philosophe de l'imaginaire, un «rêveur» de mots passionné de poésie ? «Homme du
poème et du théorème», comme l'a rappelé en 1984 le colloque de
Dijon, Bachelard n'a ressenti nulle incompatibilité entre sa formation rationaliste et sa passion de l'imaginaire. Science et poésie se

rejoignaient pour lui dans une même intuition de la créativité humaine, un même désir de donner sens au monde. Ce qu'il attendait des lectures poétiques était un retour aux sources les plus profondes – ce par quoi il préfigurait la démarche «originaire» des futurs thématiciens : «le savant, lorsqu'il quitte son métier, retourne aux revalorisations primitives» (*La Psychanalyse du feu*).

Deux influences ont joué un rôle important dans cette recherche : le freudisme et la phénoménologie. Du premier, Bachelard se détachera assez rapidement, au profit d'une conception dynamique et créatrice de l'imaginaire. La phénoménologie le marquera plus profondément : c'est à son enseignement qu'il doit en partie sa conception des images, comme son sens de la «rêverie», mixte de perception et de création qui fait exister le monde dans un rapport toujours évolutif entre sujet et objet : «je rêve le monde, donc le monde existe comme je le rêve» (*La Poétique de la rêverie*).

L'approche phénoménologique s'alliait chez Bachelard à un humanisme créateur valorisant tous les phénomènes de conscience. Il affirmait ainsi, dans *La Poétique de la rêverie*, que «toute prise de conscience est un accroissement de conscience, une augmentation de lumière, un renforcement de la cohérence psychique» ; ce pour quoi «la conscience, à elle seule, est un acte, l'acte humain». Il en voyait la plus haute manifestation dans la littérature – et notamment dans la poésie, à laquelle il s'est presque exclusivement attaché –, dans ce travail des mots qui, sollicitant l'imaginaire, est voué par définition à révéler et fonder notre «être-au-monde».

Une phénoménologie et une ontologie de l'imaginaire

«A sa naissance, en son essor, l'image est, en nous, le sujet du verbe imaginer. Elle n'est pas son complément. Le monde vient s'imaginer dans la rêverie humaine» (*L'Air et les songes*). Une telle affirmation pousse dans ses conséquences extrêmes l'intuition phénoménologique : c'est le fait de conscience qui est premier, et ordonne relativement à lui les instances du sujet percevant et du monde. Il les fonde même puisque c'est par lui qu'ils existent à travers l'ensemble des rapports qui définissent leur être.

C'est pourquoi l'imagination, qui pour Bachelard englobait la totalité des fonctions psychiques de l'homme, avait une fonction créatrice et réalisante. Pour fonder cette intuition, il renvoyait à la leçon du poète allemand Novalis, selon qui la poésie était «l'art du dynamisme psychique» (*L'Air et les songes*). Bachelard est en effet sur ce point capital l'héritier et le continuateur de la pensée romantique allemande qui, la première, a fait de l'imagination une faculté conquérante. Il prolonge même la pensée de Kant, qui avait affirmé le caractère transcendantal de l'imagination, régissant *a priori* notre expérience au lieu d'en procéder.

L'image a donc un rôle ontologique fondateur :

> «L'image, œuvre pure de l'imagination absolue, est un phénomène d'être, un des phénomènes spécifiques de l'être parlant.» (*La Poétique de l'espace*)

On s'explique de la sorte la qualité d'évidence que Bachelard reconnaissait aux images qu'il citait : l'image poétique se donne en totalité dans le moment même de son apparition.

> «Si les erreurs psychologiques des mythologues rationalistes sont disertes, il est souvent donné aux poètes de dire tout en quelques mots.» (*La Terre et les rêveries de la volonté*)

L'image ne participe donc pas d'un discours explicatif, et relève encore moins d'un souci ornemental.

Cette conviction suppose naturellement une conception de l'imagination incompatible avec le discours psychanalytique. Puisque l'image ne réfère pas à un passé, qu'«elle n'est en rien comparable, suivant le mode d'une métaphore commune, à une soupape qui s'ouvrirait pour dégager des instincts refoulés» (*La Poétique de la rêverie*), elle ne peut être assimilée à un symptôme psychique relevant d'un schéma pulsionnel. Bachelard, pourtant attiré par la psychanalyse – comme le montre le titre de l'étude qu'il a consacrée à l'imagination du feu –, s'en est rapidement éloigné : sous sa plume, la référence à Freud est progressivement remplacée par le nom de Jung. Il partageait en effet avec le grand dissident du mouvement psychanalytique des intuitions essentielles : l'idée d'un inconscient collectif, plus déterminant que l'inconscient individuel, et une conception dynamique et créatrice de la vie psychique.

De l'imagination matérielle à l'imagination cinétique

La pensée de Jung s'articulait à partir de la notion d'archétype, «image primordiale» et «expression d'ensemble du processus vital». Proche de cette idée, Bachelard ne l'a cependant exploitée qu'implicitement : l'influx vital dont est porteur l'archétype, il a surtout tenté de le saisir dans l'incarnation concrète des images. C'est pourquoi sa réflexion ressortit principalement à une phénoménologie de l'imaginaire, orientée par son expérience de lecteur. Démarche souple, empirique, qui l'a conduit à envisager successivement l'imagination dans sa composante «matérielle», puis dans son caractère cinétique.

Son intuition de départ est que l'image est autant substance que forme. Il s'en explique dans l'introduction de *L'Eau et les rêves* : «Il y a (…) des images de la matière, des images *directes* de la *matière*. La vue les nomme, mais la main les connaît. Une joie dynamique les manie, les pétrit, les allège. Ces images de la matière, on les rêve substantiellement, intimement, en écartant les formes, les formes périssables, les vaines images, le devenir des surfaces.»

Le travail de Bachelard consistera donc à définir les modalités de la rêverie humaine sur la matière, et à montrer comment, chez les poètes notamment, elle gouverne l'écriture comme l'expérience sensible du monde. C'est à Aristote que Bachelard a emprunté la distinction entre les quatre éléments, qui vont commander l'articulation de sa réflexion – de *La Psychanalyse du feu* (1937) à *La Terre et les rêveries de la volonté* (1947) et *La Terre et les rêveries du repos* (1948), en passant par *L'Eau et les rêves* (1940) et *L'Air et les songes* (1942). Son goût pour l'alchimie – à laquelle il s'était initié par l'intermédiaire de Jung – a sans doute été déterminant dans ce choix.

En s'appuyant sur cette classification, Bachelard a pu définir des constantes psychiques, éclairées par le rapport imaginaire aux éléments. En effet, «pour qu'une rêverie se poursuive avec assez de constance pour donner une œuvre écrite, pour qu'elle ne soit pas simplement la vacance d'une heure fugitive, il faut qu'elle trouve sa *matière*, il faut qu'un élément matériel lui donne sa propre substance, sa propre règle, sa poétique spécifique» (*L'Eau et les rêves*). Il a été ainsi conduit à retenir comme objets de sa réflexion des «thèmes» qui préfigurent de très près ceux que privilégieront après lui les thématiciens : thèmes des «eaux claires», des «eaux amoureuses», des «eaux profondes», de l'«eau lourde», de l'«eau violente» dans *L'Eau et les rêves*, par exemple ; thèmes du «rêve de vol», de la «chute imaginaire», de «l'arbre aérien», entre autres, dans *L'Air et les songes*. Ces incarnations substantielles de valeurs psychiques ouvraient à l'analyse un vaste champ lexical et notionnel qu'allait exploiter la critique thématique.

Cependant, Bachelard ne tarda pas à percevoir le caractère réducteur de cette classification en quatre éléments : distinction trop schématique pour rendre compte de la diversité des valorisations imaginaires. Il perturba donc ce cadre formel trop logique, en consacrant non pas quatre mais cinq livres à ces quatre éléments, et en montrant l'ambivalence de chacun d'eux ; ainsi la terre est-elle ambiguë : elle invite «à l'introversion comme à l'extraversion» ; de plus, les éléments communiquent entre eux, et se mélangent : tout un chapitre de *L'Eau et les rêves* est consacré aux «eaux composées» (l'eau et le feu, l'eau et la nuit, l'eau et la terre).

Pour dépasser radicalement ce que le schéma aristotélicien avait de réducteur, Bachelard s'en remettra surtout à une conception cinétique de l'imagination. Le changement est évident dès l'introduction de *L'Air et les songes* ; Bachelard y affirme que «l'imagination est essentiellement ouverte, évasive», et que «chaque poète nous doit donc son *invitation au voyage*». Comprenons que ce voyage n'est autre que le recours à l'image même, dans sa mobilité créatrice. Il n'y a peut-être pas d'ouvrage où Bachelard soit davantage fidèle à cette inspiration que son *Lautréamont*. Fort de l'idée que «l'imagination ne comprend une forme que si elle la transforme, que si elle en dynamise le devenir», il montre comment «la poésie de Lautréamont est une poésie de l'excitation, de l'impulsion musculaire, (...) elle n'est en rien une poésie des formes et des couleurs.»

Bachelard lecteur

En posant que l'imagination est un dynamisme organisateur, Bachelard annonçait directement la critique thématique : pour lui comme pour un J.-P. Richard, chaque image ne vaut pas par elle-même mais par le réseau de sens qu'elle inaugure ou déploie. La conséquence qu'il en a tirée au plan de sa méthode critique est d'ailleurs très semblable à celle de ses successeurs : étudier une œuvre, commenter un texte, c'est essentiellement faire un travail de lecture, se soumettre aux injonctions du texte, se laisser gagner par le retentissement qu'il provoque. Il s'agit de lire et de donner à lire – comme Eluard, sans doute son poète préféré, rêvait de «donner à voir» –, dans une joie renouvelée. Les citations sont donc nombreuses, les commentaires admiratifs ou «rêveurs», le style souvent lyrique, la démarche rarement analytique. Bachelard s'en excuse dans l'introduction de *L'Eau et les rêves* : «Les images de l'eau, nous les vivons encore, nous les vivons synthétiquement dans leur complexité première en leur donnant souvent notre adhésion irraisonnée».

Puisqu'il s'agit de «vivre l'être de l'image» (*La Poétique de l'espace*), le commentaire ne saurait être explicatif, ni singularisant. Bachelard développe comme concentriquement le retentissement de l'image au lieu de l'analyser. Et, bien loin de spécifier par elle le travail de l'écrivain, il y voit plutôt le point de cristallisation d'une expérience universelle. On en aura un exemple dans ce commentaire de deux vers d'Eluard :

> «*J'étais comme un bateau coulant dans l'eau fermée*
> *Comme un mort je n'avais qu'un unique élément.*
>
> L'eau fermée prend la mort en son sein. L'eau rend la mort élémentaire. L'eau meurt avec le mort dans sa substance. L'eau est alors un élément *substantiel*. On ne peut aller plus loin dans le désespoir. Pour certaines âmes, l'eau est la matière du désespoir.»
> (*L'Eau et les rêves*)

On voit bien ici comment se développe le commentaire : non par une démarche analytique, mais de façon englobante et généralisante. Les phrases courtes, juxtaposées, n'enferment pas la citation dans un réseau de relations logiques, mais s'enchaînent par reprises. L'expression mime un départ toujours recommencé de la rêverie à partir de l'image, pour en extraire, finalement, la valeur la plus générale.

On saisit du même coup, sur cet exemple, les limites de «lecture» bachelardienne des œuvres littéraires : le commentaire, débouchant sur une leçon universelle, tend toujours à faire du texte cité un exemple parmi d'autres d'une loi générale. Bachelard est plus préoccupé de l'imagination humaine, dans ses grandes composantes, que de l'univers imaginaire propre à chaque écrivain. Sa réflexion n'est donc pas «critique» au sens exact du terme : elle ne tend pas à opérer des choix, à établir des distinctions, et encore moins des hiérarchies. Ceux qui, après lui, incarneront la critique thématique, rééquilibreront la démarche en accordant plus d'importance à la singularité des œuvres.

5. Georges Poulet

G. Poulet est sans doute le critique le plus proche de G. Bachelard : toute son attention est dirigée vers la conscience créatrice, à travers les formes d'«être-au-monde» que l'œuvre déploie en réseaux imaginaires. Il prolonge aussi le point de vue, spiritualiste, des fondateurs de l'«Ecole de Genève», par une définition aussi intellectuelle que sensible du «cogito» qu'il veut étudier :

> «Recommencer au fond de soi le *Cogito* d'un écrivain ou d'un philosophe, c'est retrouver sa façon de sentir et de penser, voir comment elle naît et se forme, quels obstacles elle rencontre ; c'est redécouvrir le sens d'une vie qui s'organise à partir de la conscience qu'elle prend d'elle-même». (*La Conscience critique*)

L'activité critique consiste donc en une appropriation subjective du «monde» propre à l'artiste ; elle permet de «remonter dans l'œuvre de l'auteur jusqu'à cet acte à partir duquel chaque univers imaginaire s'épanouit à la façon parfois d'une femme, parfois d'une plante, d'une prison, d'une rosace, d'une fusée.» (*Trois Essais de mythologie romantique*).

La réflexion sur le temps

G. Poulet s'est soucié avec une constance sans égale des grandes catégories de la perception, le temps et l'espace. Ses *Etudes sur le temps humain* proposent une vaste enquête sur les modalités de la perception du temps à travers l'histoire littéraire. A partir du deuxième tome, la perspective thématique dominante est indiquée par un sous-titre qui en précise l'orientation : *La Distance intérieure* (t. II), *Le Point de départ* (t. III), *Mesure de l'instant* (t. IV). Ce dernier volume est bien représentatif de la démarche du critique, qui vise à spécifier le «monde» propre à chaque écrivain à travers son appréhension particulière d'une catégorie de la relation au monde : le temps, et ici précisément l'instant.

C'est que «l'instant a toutes les mesures et toutes les démesures» : «tantôt il se trouve réduit à son instantanéité même : il n'est que ce qu'il est, et, en deçà, au-delà, par rapport au passé, à l'avenir, il n'est rien. Et tantôt, au contraire, s'ouvrant sur tout, contenant tout, il n'a plus de limites.» Tel est le cas chez Maurice Scève, qui condense dans une durée extrêmement réduite un complexe multiple de sensations, sentiments, événements, etc. Stendhal semble aux antipodes de cette perception : chez lui l'instant est léger, bondissant, il entretient une conscience de vivre joyeuse et exaltée. Les moments de passion en sont un bon exemple : «Surprise, indignation, fureur, désir de vengeance et le geste qui doit réaliser celle-ci, tout se passe dans un même moment sans durée.» Le désir de retenir ces moments fugitifs explique le culte stendhalien de la conscience et de l'intelligence, qui permettent de ressaisir par la réflexion le meilleur d'une sensation toujours fugitive.

G. Poulet montre comment cette fugacité, et le sentiment de cette précarité, se sont accrus au long du XVIIIe siècle : le préromantisme «est assombri par la conscience de cet évanouissement de l'instantané». Les romantiques anglais ont réagi significativement à cette angoisse : substituant dans leur réflexion l'«éternité personnelle, subjective : une éternité à leur usage propre», à l'éternité de Dieu «qui avait occupé les poètes de l'âge baroque ou classique», ils ont inclus ce rêve de permanence dans des «instants paramnésiques» où «passé et présent bizarrement cohabitent».

Ces analyses montrent bien l'extrême plasticité qu'acquiert la notion de temps – catégorie pourtant fort abstraite – dans la réflexion de G. Poulet : l'instant, renvoyant à une perception globale du monde, est comme une substance matérielle, pétrie par l'imagination du créateur, qui en fait un objet à son usage, sinon à son image. D'où, par exemple, la métaphore matérielle par laquelle G. Poulet présente la nature de l'instant proustien, qui se divise en un *maintenant* et un *plus tard* :

> «Comme dans le monde biologique de la sissiparité, cet instant si rempli de lui-même peut (…), en raison de sa densité, se scinder, engendrer son semblable, être simultanément lui-même et un autre.»

La réflexion sur l'espace

C'est justement à Proust que G. Poulet a consacré une réflexion sur l'espace qui est la répondante des *Etudes sur le temps humain*. L'interrogation sur la valeur symbolique des schèmes spatiaux était déjà à l'œuvre dans *Les Métamorphoses du cercle*, dont la thèse est le passage, à travers l'histoire, d'une vision théologique à une perception anthropologique, centrée sur l'homme. La mutation de sens de la figure du cercle en est un révélateur privilégié, comme le critique le note à propos du XVIIᵉ siècle :

> «Pendant tout le cours du dix-septième siècle, la pensée religieuse maintient le rapport entre le "globe bref" de l'existence humaine et la sphère de l'éternité. Mais avec la fin du siècle le symbole de la sphère infinie perd toute signification et toute énergie, il disparaît du langage théologique et philosophique, de sorte que la petite sphère en laquelle se forme la pensée humaine est condamnée à flotter maintenant sans attaches et sans modèle, et à révéler d'autant plus gravement son insignifiance.»

Dans *Les Métamorphoses du cercle*, la réflexion confine à une histoire des mentalités, saisies à travers leurs «lectures» particulières d'une seule figure. Dans *L'Espace proustien*, la perspective est inverse : le propos porte sur une seule œuvre, dont le critique tente de cerner la singularité à travers les figures diverses qui y régissent l'organisation de l'espace. Elles participent toutes d'une même spatialisation de la durée, qui transforme le successif en simultané. Cette conversion, dont Bergson avait souligné le caractère mystificateur, est cependant totalement légitime chez Proust dans la mesure où elle participe d'une démarche esthétique accomplie qui la justifie entièrement.

Le critique montre ainsi l'importance, dans *A la Recherche du Temps perdu*, du «vacillement» de l'espace, de la distance qui sépare les êtres et les choses, et les place chacun dans sa perspective singulière : l'importance, en somme, de la «localisation», qui coïncide souvent avec l'identité des êtres. C'est pourquoi le «snobisme proustien» prend souvent la forme d'une «rêverie sur des noms de lieux et de familles nobles». Ces lieux sont souvent disjoints car l'espace, tout comme le temps, n'est pas continu :

> «La distance, c'est l'espace, mais l'espace dépouillé de toute positivité, espace sans puissance, sans efficacité, sans pouvoir de plénification, de coordination et d'unification. Au lieu d'être une sorte de simultanéité générale qui se développerait de tous côtés

pour supporter, contenir et mettre en rapport les êtres, l'espace est tout simplement ici une incapacité qui se manifeste de toutes parts, dans tous les objets du monde, à former ensemble un ordre (…) La distance, pour Proust, ne peut donc être que tragique. Elle est comme la démonstration visible, inscrite dans l'étendue, du grand principe de séparation qui affecte et afflige les hommes.»

La distinction générique entre les deux «côtés» – de Guermantes et de Méséglise – est une manifestation structurelle de ce principe de séparation. Lequel semble aboli dans les expériences privilégiées de mémoire involontaire, qui permettent de restaurer une continuité en faisant «se dérouler une étendue mentale, dont l'amplitude se mesure à l'intensité du sentiment éprouvé». Le souvenir, en effet, déploie spatialement, comme en un éventail, une gerbe de sensations, d'émotions, d'expériences. Chez Proust la recherche du temps perdu se double ainsi d'une «reconquête de l'espace perdu». Cependant l'unité spatiale n'est véritablement acquise que par les voyages, les déplacements, qui ont toujours quelque chose de «magique». Avec eux, «chaque chose est en rapport avec une infinité de positions possibles, de l'une à l'autre desquelles on les voit passer.»

Une critique «différentielle»

La réflexion sur les catégories générales du temps et de l'espace risque toujours de dissoudre la singularité des œuvres. C'est contre ce risque que G. Poulet a entendu se prémunir dans *La Poésie éclatée*, consacré successivement à Baudelaire et Rimbaud. Le livre est en effet à la fois un prolongement et un dépassement des études précédentes : l'image de l'éclatement conjoint les deux catégories du temps et de l'espace, dans un même schème dynamique qui les annule. Pour G. Poulet les œuvres de ces deux poètes sont comme des explosions qui brisent la fausse continuité de l'histoire littéraire, et suppriment les points de repère fallacieux, par l'évidence d'une création neuve.

Le propos du critique est donc de rendre compte de cette singularité de deux œuvres poétiques majeures sans autre point de ressemblance que leur commune irréductibilité à ce qui n'est pas elles. Le critique n'en applique pas moins sa méthode habituelle (définition, par les textes, d'un «cogito» initial révélateur d'un «être-au-monde» particulier). Mais le propos est, plus que jamais, différentiel, car il permet justement d'opposer les deux poètes à partir de bases communes : Baudelaire «se sent rigoureusement prédéterminé par le péché originel, qui menace de le priver de toute liberté d'esprit ; il est hanté par le passé et le remords ; il n'aperçoit en lui-même qu'une infinie profondeur qui s'étend jusqu'aux zones les plus lointaines de sa pensée rétrospective.» A l'inverse, Rimbaud «s'éveille chaque fois à une existence nouvelle. Il est dispensé de tout remords, libre de réinventer son monde et son moi en n'importe quel instant, de sorte que cet instant prend sur-le-champ pour lui une valeur absolue.»

6. Jean-Pierre Richard

Une démarche originale

J.-P. Richard semble partager le même projet critique que G. Poulet. Lui aussi tente de définir un «être-au-monde», fondé sur des expériences qui se déploient en figures dans l'œuvre littéraire. Il entend situer son «effort de compréhension et de sympathie en une sorte de moment premier de la création littéraire : moment où l'œuvre naît du silence qui la précède et qui la porte, où elle s'institue à partir d'une expérience humaine» (*Poésie et profondeur*). Il affirme de même au début de ses *Onze études sur la poésie moderne* que «tous ces poètes ont été saisis au niveau d'un contact originel avec les choses».

Les modalités de ce «contact» permettent en revanche de souligner l'originalité de J.-P. Richard. Si pour G. Poulet le «cogito» est surtout intellectuel – au point que le critique parle souvent de la «pensée» des auteurs qu'il commente (par exemple à propos de Nerval, dans *Trois Essais de mythologie romantique*), il est remplacé, chez J.-P. Richard, par une appréhension sensuelle et sensible du monde, pour qui l'ontologie se déduit d'une phénoménologie de la perception : la saisie de soi s'opère par un «contact» renouvelé avec ce qui nous entoure. Les sensations fournissent donc le champ d'analyse privilégié de cette démarche critique : J.-P. Richard entend se placer au «niveau le plus élémentaire» : celui «de la sensation pure, du sentiment brut, ou de l'image en train de naître.» (*Poésie et profondeur*).

C'est pourquoi sa démarche est moins centralisatrice et hiérar-
chisée que celle de G. Poulet. Celui-ci réfère avec insistance, par
induction, à une intuition d'existence centrale et originelle : sa
pensée se déplace des ramifications de l'œuvre – aussi diverses et
singulières soient-elles – à l'expérience fondatrice qui en est le
principe. Si G. Poulet cherche dans les œuvres une profondeur
centrale, J.-P. Richard s'enchante plutôt de les parcourir en tous
sens, d'en découvrir, avec un regard toujours curieux, toute la
diversité visible. Critique de «surface» autant que de profondeur,
accordée à une vision polycentrée des œuvres littéraires, puisque
chaque fragment est susceptible de renvoyer au tout, sans réelle
hiérarchie. L'esprit du critique peut ainsi vagabonder entre les
thèmes et motifs de l'œuvre, en un parcours sans fin prévisible. G.
Poulet trie, hiérarchise et choisit. J.-P. Richard accepte joyeuse-
ment la diversité, et glane dans les textes tout ce qui peut être
occasion d'intelligence et de jouissance.

Le texte même qu'il étudie, perçu dans sa réalité linguistique,
est une de ces occasions, une de ces chances offertes au critique.
G. Poulet affirme que seule compte l'adhésion de la conscience
critique à la conscience créatrice ; le texte est, dans cette perspective, un médium, un intermédiaire ; sa réalité matérielle disparaît
au profit de la fonction qu'il assume. La perception de J.-P.
Richard est plus proprement «poétique» : ce que le lecteur – et le
critique – rencontre dans un livre, ce n'est pas seulement une
conscience et une expérience, c'est aussi un texte. Ou plutôt, le
texte est lui aussi occasion d'expérience, de sens, et de plaisir. Le
point de vue de J.-P. Richard n'est donc pas celui d'un linguiste ou
d'un stylisticien. Il est celui, bachelardien, d'un «rêveur» de mots,
aussi éloigné d'une critique oublieuse du langage que d'un regard
formaliste qui le survalorise.

La «lecture» richardienne

Le livre que J.-P. Richard a consacré à Mallarmé, *L'Univers
imaginaire de Mallarmé*, est sans doute le plus démonstratif de sa
«lecture» critique des textes. La composition d'ensemble du livre
obéit au schéma traditionnel des études littéraires : de l'homme à
l'œuvre. On passe en effet du «poème enfantin de Mallarmé» et de
ses années d'adolescence, à l'étude des «Formes et moyens de la
littérature». Cependant, les chapitres intermédiaires brouillent ce

schéma chronologique et causal trop rassurant : «Les rêveries amoureuses», «L'expérience nocturne», «Dynamismes et équilibres», «La lumière», etc., croisent l'expérience littéraire et les données biographiques sous l'angle de thèmes organisateurs. Ce qui permet au critique de définir les modalités d'une expérience sensible renvoyant à un double projet, existentiel et esthétique. Il peut ainsi montrer, par exemple, comment «l'obstacle amoureux est souvent un écran de feuillage», ou étudier, dans une perspective bachelardienne, les «rapports du songe amoureux et de la rêverie aquatique».

On ne saurait résumer des analyses aussi diverses et subtiles. On se contentera ici de réfléchir sur un commentaire qu'il propose, pour saisir sur le vif la méthode du critique, à partir d'une citation de Mallarmé :

> «Sur la route, seule végétation, souffrent de rares arbres dont l'écorce douloureuse est un enchevêtrement de nerfs dénudés : *leur croissance visible est accompagnée sans fin*, malgré l'étrange immobilité de l'air, d'une *plainte déchirante* comme celle des violons, qui, *parvenue à l'extrémité des branches*, frissonne en feuilles musicales» (extrait de *Symphonie littéraire* de Mallarmé).

> «Le violon fait ici merveilleusement résonner en lui la nervosité baudelairienne : on ne sait plus s'il grince sur un boyau de chat ou sur la nudité écorchée d'un tronc neuf. Mais surtout il émet sa musique *au bout* d'une croissance, à l'extrémité extatique d'un feuillage, en cette pointe de la forme qui sert si souvent pour Mallarmé de frontière ouverte entre l'objet et son idée. Ailleurs explosé en feuilles rouges, l'arbre se défait doucement ici en musique. Et cette défaite reste malgré tout douloureuse. La «plainte déchirante» du violon, accompagnée des frissons du feuillage, sert peut-être alors à suggérer la dernière douleur d'une objectivité amenée à se séparer de la matière, qui jusqu'ici la soutenait, pour mieux s'arracher "idéalement" à soi.»

Ce passage est exemplaire de la méthode de J.-P. Richard. Son organisation – une citation suivie d'un commentaire – montre que la perspective d'ensemble est bien celle d'une «lecture», c'est-à-dire d'un mode de compréhension qui entend ne pas trop s'éloigner de son objet, et entretenir avec lui des rapports de voisinage. C'est pourquoi des mots sont soulignés dans le texte cité – c'est déjà un geste critique –, tandis que le commentaire reprend des mots du texte, en les enchâssant dans son propre discours : les voix de l'auteur et du critique s'interpénètrent et ne se distinguent que pour mieux se faire complices.

Cette relation mimétique est d'autant plus forte qu'elle s'établit sur un plan qui efface les caractérisations trop individuelles : le critique n'est qu'un lecteur anonyme, «on» ; et l'auteur n'est désigné qu'une seule fois, simple prédicat («pour Mallarmé») de son œuvre. Celle-ci importe donc seule, dans son pouvoir de suscitation d'un «univers» originel, qui semble devoir exister pour lui-même : les rapports de causalité, même s'ils sont rappelés par l'emploi du verbe «servir», sont presque absents. La réflexion traditionnelle sur la «fabrication» du texte (la réponse aux questions «pourquoi» et «comment», qui participent d'une démarche rhétorique) n'est pas abordée, remplacée par un inventaire, un relevé de surface. La description prend le pas sur l'analyse.

Est-ce à dire que le critique n'«explique» pas ? Bien au contraire, il rend plutôt à ce verbe sa valeur spatiale en dépliant le texte, en déployant les virtualités du monde qu'il représente. Pour ce faire, J.-P. Richard modifie et condense les éléments du texte, afin de les rendre plus évidemment signifiants. Il abstrait par exemple certaines données concrètes ; ainsi les «nerfs dénudés» deviennent «la nudité écorchée» : la substantivation du participe passé transforme un attribut circonstanciel en une modalité d'être ; la même modification nous fait passer de «l'extrémité des branches» au «bout d'une croissance». Le travail de condensation est encore plus remarquable : il regroupe dans des associations neuves ce que le texte cité présente séparément ; ainsi l'analogie – virtuelle dans le texte de Mallarmé – entre les «nerfs dénudés» et les «violons» est condensée en métaphore dès la première phrase du commentaire ; là où une analyse stylistique relèverait la métaphore qui travaille implicitement le texte, et soulignerait les effets de cette écriture allusive, le commentaire de J.-P. Richard l'actualise, la rend réelle : il développe les virtualités du texte telles qu'elles sont susceptibles d'éclore dans la conscience du lecteur.

J.-P. Richard reste en cela fidèle à la leçon de G. Bachelard, qui voulait qu'on «rêve» sur les images d'un texte. Mais sa «rêverie» reste toujours orientée par son projet critique. Puisqu'il s'agit d'étudier un «univers imaginaire», et que celui-ci dépend des modes de relation de la conscience à ses objets, la question essentielle – celle du rapport – revient avec insistance, en articulant le passage «entre l'objet et son idée». C'est de cette manière, par des voies qui lui sont propres, que J.-P. Richard rejoint le commentaire traditionnel inspiré par l'histoire littéraire : parti d'un référence baudelairienne, il aboutit à une définition de l'«idéalisation symboliste». Mais au lieu d'exploiter un savoir, historique et littéraire, préalable, il le rejoint, au terme d'un parcours analogique de l'œuvre qu'il commente.

Diversité et infléchissements

Parce que, comme l'écrivait Paul Eluard dans «L'Evidence poétique», «les poèmes ont toujours de grandes marges blanches, de grandes marges de silence où la mémoire ardente se consume pour recréer un délire sans passé», ils autorisent naturellement, et rendent même sans doute nécessaire, une telle «rêverie» recréatrice des textes. Cela n'a pas empêché J.-P. Richard de s'intéresser tout aussi bien, et avec un égal bonheur, à de grandes œuvres narratives. Sa démarche reste la même : dégager un «univers imaginaire» (cf. *Paysage de Chateaubriand*), par un inventaire de sensations premières (cf. *Proust et le monde sensible*). Ce même projet est à l'œuvre dans *Littérature et sensation*, notamment dans la deuxième partie qui traite de «La création de la forme chez Flaubert».

Articulée en trois temps, selon un schéma de pensée qu'on retrouve dans *L'Univers imaginaire de Mallarmé*, la réflexion conduit d'un sentiment de l'existence (marqué par l'inanité du réel et l'obsession du néant) à des conduites existentielles (association du sadisme et du masochisme, impuissance amoureuse et fétichisme), pour déboucher sur le sens même de l'écriture littéraire : «La création artistique équivaut (…) pour Flaubert à une création de soi par soi». L'auteur en effet donne par son style consistance au réel, et se sauve lui-même dans ce travail :

> «Ecrire, c'est s'enfoncer dans ces profondeurs, y découvrir ce mouvement pétrifié, cette boue d'existence, puis remonter avec elle à sa propre surface et l'y laisser se dessécher en une croûte qui constituera la forme parfaite.»

Cette image donne bien la mesure de la rêverie substantielle qui, tout au long du texte, gouverne le propos critique, et en permet l'articulation ; par exemple le thème du repas permet de mettre en évidence le motif de l'impossible satiété, tandis que l'expérience amoureuse est rattachée à des images récurrentes de liquidité. Ici encore, l'histoire littéraire n'est aucunement congédiée (J.-P. Richard cite la correspondance de Flaubert, propose un rapprochement avec l'impressionnisme, etc.), mais elle n'a qu'un rôle d'appoint, *a posteriori*, pour confirmer les impressions de lecture.

L'étude thématique de grands massifs romanesques ou poétiques exige un fort degré de concentration du commentaire : l'œuvre «mise à plat», le critique y circule comme dans un espace simultanément offert à son regard. En conséquence, chaque partie de l'œuvre est subordonnée au regard englobant qui la saisit d'abord. Avec ses *Microlectures* (t. I et II), J.-P. Richard a tenté le pari inverse : faire surgir la totalité d'un «univers» littéraire de l'analyse précise de brefs fragments. Il s'en explique dans l'avant-propos du t. I : «La lecture n'y est plus de l'ordre d'un parcours, ni d'un survol : elle relève plutôt d'une insistance, d'une lenteur, d'un vœu de myopie. Elle fait confiance au détail, ce grain du texte.» Le rapport structurel de la partie au tout se retourne donc, mais confirme ce faisant la profonde loi d'analogie et d'homogénéité que suppose toute démarche thématique.

La nouveauté de cette tentative réside plutôt dans la perspective plus précisément pulsionnelle dans laquelle J.-P. Richard entend se placer : «tout autant que comme sensation, ou rêverie (au sens bachelardien du terme), le paysage m'apparaît aujourd'hui comme phantasme : c'est-à-dire comme mise en scène, travail, produit d'un certain désir inconscient». Le propos du critique rejoint dès lors la psychanalyse, en substituant à la description phénoménologique une explication libidinale : le paysage devient «le débouché et l'aboutissement, le lieu de pratique aussi, ou d'autodécouverte d'une libido complexe et singulière».

Cet infléchissement s'accompagne d'une attention plus soutenue à la *lettre* du texte car, «en littérature tout est langage». La lecture est donc fondée «à la fois sur l'essence verbale des œuvres littéraires (ce qui les constitue en *pages*), et sur les formes, thématico-pulsionnelles, par où s'y manifeste un univers singulier (ce qui les organise en *paysages*)».

En manière de bilan

L'inflexion psychanalytique des derniers travaux de J.-P. Richard montre que la critique thématique est encore à la recherche d'elle-même, et de bases sûres qui puissent la fonder. Comme toute entreprise critique, elle court un risque double : celui de se dissoudre dans son objet, ou de prendre par rapport à lui trop de distance. La «rêverie» bachelardienne, à la fois participante et créatrice, entendait se placer dans cet entre-deux. Mais comment s'y tenir durablement ? Comment assurer la pertinence d'un discours toujours placé aux confins du sujet et de l'objet ? En recourant à la psychanalyse et à la linguistique, J.-P. Richard redonne consistance à l'un et à l'autre. Mais cette symétrie montre bien qu'il entend toujours se placer au lieu de leur hypothétique intersection.

Cette difficulté n'est pas propre à la critique thématique : elle concerne tout discours sur une œuvre littéraire. D'autres faiblesses, en revanche, lui sont davantage attachées : la subjectivité du choix des «thèmes», le caractère incertain et parfois réducteur (si ce n'est proche du contresens, comme il arrive parfois chez Bachelard), d'une «lecture» fondée sur la seule «sympathie» ; le manque de distinction suffisante entre les œuvres ; l'absence de réflexion véritable sur la réalité littérale des textes (chez Bachelard par exemple, la notion d'«image», pourtant constamment sollicitée, n'est jamais précisément définie).

Ces lacunes expliquent peut-être que l'approche thématique ne se soit jamais constituée en école critique. Elle est représentée par des critiques éminents, mais tous autonomes, et qui ne semblent guère avoir de successeurs : on ne voit pas qui, aujourd'hui, peut être placé dans le sillage d'un J.-P. Richard.

C'est aussi que chacun de ces critiques – et il faut penser ici à tous ceux dont nous n'avons pas pu parler précisément : Albert Béguin, Marcel Raymond, Jean Rousset, Jean Starobinski – a développé une œuvre qui a sa continuité, son homogénéité, qui est irréductible à tout autre. Avec l'inspiration thématique, la critique a sans doute retrouvé sa dimension créatrice. De même qu'elle affirme la vocation spirituelle des œuvres littéraires, elle se présente comme une démarche féconde qui donne vie aux textes par un regard généreux.

BIBLIOGRAPHIE

I. Problèmes généraux

Georges Poulet, *Les Chemins actuels de la critique*, Plon, 1967 (actes d'un colloque tenu en 1966 ; utile pour situer la démarche thématique dans les débats de la «nouvelle critique»).
La Conscience critique, J. Corti, 1971 (une série d'articles éclairants sur les principaux représentants et précurseurs de la critique thématique).

«Thématique et thématologie» (actes du colloque tenu à l'université de Bruxelles en 1976), *Revue des langues vivantes*, Bruxelles, 1977 (un dossier d'une grande pertinence sur la situation, les présupposés et les méthodes de la critique thématique).

II. Quelques ouvrages des auteurs cités

Gaston Bachelard, *L'Eau et les rêves*, J. Corti, 1942.
La Poétique de la rêverie, P.U.F., 1960.

Albert Béguin, *L'Ame romantique et le rêve*, J. Corti, 1939.

Georges Poulet, *Etudes sur le temps humain*, Plon, 4 t., 1950-1968.
Les Métamorphoses du cercle, Plon, 1961.

Marcel Raymond, *Jean-Jacques Rousseau, la quête de soi et la rêverie*, J. Corti, 1963.

Jean-Pierre Richard, *Onze études sur la poésie moderne*, Seuil, 1964.
Stendhal et Flaubert, Seuil, 1954.

Jean Rousset, *La Littérature de l'âge baroque en France*, J. Corti, 1954.

Jean Starobinski, *Jean-Jacques Rousseau, la transparence et l'obstacle*, Plon, 1957.
La Relation critique (*L'Œil vivant, II*), Gallimard, 1970.

IV. La sociocritique

par Pierre Barberis

Introduction

Sociocritique ? L'expression est récente, mais avec un sens restrictif et précis comme on le verra plus loin. L'idée, cependant, (plus large qu'aujourd'hui) est ancienne, et liée au mouvement même des naissantes sciences sociales et de la réflexion sur les inter-réalités socio-culturelles.

L'idée, en effet, d'«expliquer» la littérature et le fait littéraire par les sociétés qui les produisent, et qui les reçoivent et consomment, a connu en France une époque royale au début du XIXe siècle. On était alors persuadé d'avoir trouvé le secret du fonctionnement et du mouvement des sociétés à partir du modèle français, devenu plus lisible par la Révolution.

C'est que cette Révolution avait apporté bien des clartés, semblait-il, sur des questions que les Lumières d'avant 1789 ne pouvaient poser que de manière incomplète : une société nouvelle était née, un nouveau public, de nouveaux besoins, de nouvelles possibilités. Nul «philosophe» n'avait jamais vécu dans une société révolutionnée. Mais l'effet redoubla lorsque cette Révolution se trouva arrêtée ou déviée : par la dérive «terroriste» de 93-94, par les stabilisations ou tentatives de réaction, en 1800 avec Bonaparte, en 1814-1815 avec le retour des Bourbons et les menaces «ultras». La Révolution avait éclairé le passé, mais elle embrouillait aussi le présent et l'avenir, faisant surgir ou devant affronter de nouvelles contradictions. Beaucoup d'hommes voulaient la Révolution complète et vraie, fidèle à elle-même. Des forces, nouvelles ou latentes, en étaient ou en seraient l'instrument de cette «révolution culturelle» : bourgeoisie libérale, petite bourgeoisie et «classe pensante» (Stendhal) se cherchant du côté du populaire, «couches nouvelles», comme dira Gambetta, un jour classes ouvrières arrachées à leurs taudis à qui la Théorie sociale nouvelle promettait d'être le nouveau levier de l'Histoire.

La littérature disait et dirait tout cela : les combats et le sens d'hier comme les combats et le sens de demain. Elle vérifiait, mais aussi elle annonçait. Comme on pensait avoir une idée claire de la marche des sociétés, on pensait en avoir une aussi de ce produit social qu'était la littérature. Elle ne visait plus seulement le vrai et le beau moral plus ou moins transhistorique, mais un vrai et un beau *militant*, fût-ce sans le savoir. La littérature, disait Mme de Staël, n'était plus un art mais une arme : pour agir et pour comprendre. Les formes, comme la psychologie et la sensibilité, devenaient historiques. Stendhal, lui aussi, proclamera que tout classicisme avait été romantique, en ceci qu'il avait peint les hommes de son temps pour les hommes de son temps : Eschyle comme Racine, à cette enseigne, avaient été «modernes», et donc on avait le droit et le devoir de l'être à notre tour.

Ce qui devait s'appeler un jour sociocritique était ainsi un produit de l'Histoire, et non une simple attitude intellectuelle abstraite. Mais par là même, elle était appelée à être appréciée dans le cadre d'une autre et nouvelle Histoire : celle qui n'aurait peut-être plus les mêmes idées sur la marche et sur le fonctionnement des sociétés. Et tel est bien aujourd'hui le point de départ d'une réflexion sur le problème : historisation et socialisation, certes, contre non-historisation ou désocialisation ; mais aussi relecture permanente de cette historisation et de cette socialisation. Il y a, en effet, toujours un peu d'équivoque sur le mot *société* : organisme qui fonctionne de manière plus ou moins close, ou qui change de manière parfois surprenante, et cela comment et pour quoi ? Littérature/Société/Histoire : quelle est la place et quel est le rôle des hommes et de leur conscience dans leur environnement culturel ? Le problème devient vite philosophique : l'Histoire est-elle un SENS, ou au sens pascalien, un DIVERTISSEMENT ? Et si quelque chose, quand même, se trace et demeure, ne serait-ce pas la littérature, comme produit spécifique ? On se voit ainsi invité à réfléchir en termes renouvelés sur le BEAU, sur le VRAI, mais aussi sur l'EFFICACE du fait d'écrire – et de lire. Quel est le performatif du système des SIGNES dans le champ aux frontières ouvertes du DATÉ ?

La notion de sociocritique

Sociocritique sera employé par commodité, bien que le terme désigne depuis de nombreuses années une autre démarche que la simple interprétation «historique» et «sociale» des textes comme ensembles aussi bien que comme productions particulières : entre la sociologie du littéraire qui concerne l'*amont* (conditions de production de l'écrit) et la sociologie de la réception et de la consommation qui concerne l'*aval* (lectures, diffusion, interprétations, destin culturel et scolaire ou autre), la sociocritique définie par Claude Duchet (voir notre Bibliographie en fin de chapitre) vise le texte lui-même comme lieu où se joue et s'effectue une certaine socialité.

Mais la sociologie du littéraire comme celle de la réception *stricto sensu* se révélant partiellement étrangères à l'essentiel (ce qui se passe dans le texte), la sociocritique semble pouvoir sans grand dommage les intégrer, ne serait-ce qu'au plan du vocable employé. Entre les déterminations et les conséquences, le texte est suffisamment important pour les attirer dans sa lecture. On n'oubliera pas que le projet sociocritique fut un projet précis et daté mais aussi, par définition, un projet ouvert et qu'il le demeure, alors que la sociologie de «l'amont» comme celle de «l'aval» sont constamment guettées par le réductionnisme.

Sociocritique a de plus l'avantage de faire bouger et avancer le marxisme en un domaine sensible et particulier : le marxisme est en effet aujourd'hui la référence constante et obligée, en même temps qu'en ses textes fondateurs et en ses pratiques il lui faut bien reconnaître que quelques chose se passe et s'est passé qu'à son stade canonique il n'avait pas conçu. *Sociocritique* désignera donc la lecture de l'historique, du social, de l'idéologique, du culturel dans cette configuration étrange qu'est le texte : il n'existerait pas sans le réel, et le réel à la limite, aurait existé sans lui ; mais le réel, alors, tel que nous pouvons le percevoir, serait-il le même, exactement ? Toute la question est là : si le réel ne nous est connu que par les discours tenus à son sujet, quel est, parmi eux, la place du discours proprement littéraire ?

Principe de la lecture sociocritique

La lecture sociocritique ne saurait être l'application aux textes de principes et encore moins de recettes déjà disponibles et constituées dans des corpus théoriques qui auraient déjà tout dit sur les sociétés, et donc sur les activités et sur les productions culturelles, et littéraires notamment. Cela pour trois raisons :

– Parce que ces corpus théoriques sont aujourd'hui anciens et donc ne contiennent pas toutes les clés d'un réel qui nous apparaît comme plus riche et plus complexe : ni Montesquieu ni Marx n'ont tout dit sur les sociétés et sur l'Histoire, même s'ils ont dit infiniment plus que ce qui s'était dit avant eux.

– Parce que c'est dans les textes eux-mêmes et dans les réflexions qu'ils ont générées que s'est déjà constituée une sociocritique naissante et en puissance.

– Parce que toute lecture est invention et recherche et parce qu'à son niveau propre elle contribue à l'enrichissement et au progrès de la conscience du socio-historique : aussi bien que l'écriture et que la création, l'interprétation, même si elle s'appuie sur certains acquis théoriques, contribue, sans demander la permission à personne, à façonner, de manière toujours précaire, et à reprendre la conscience que nous avons du réel sous ses divers aspects. C'est au niveau de l'interprétation, comme à celui de l'écriture et de la création que se constitue sans cesse une nouvelle synthèse entre infra-structures/super-structures, conscience/non-conscience, personnel/universel, texte/référent, choses et événements/expression, formes anciennes et héritées/formes nouvelles et inventées.

La lecture sociocritique est donc un mouvement qui ne s'opère pas uniquement à partir de textes fondateurs et d'archives mais à partir d'une recherche et d'un effort tâtonnant et découvreur qui invente un nouveau langage, fait apparaître de nouveaux problèmes et pose de nouvelles questions. La lecture sociocritique et socio-historique fait bouger l'Histoire et la sociologie en même temps qu'elle en tient compte comme disciplines et comme consciences déjà disponibles et déposées. C'est pourquoi elle ne saurait être un mode d'emploi débouchant dans un sens ultime, dans un dernier recours et dans un «après tout» réducteur. Elle est attentive à tout ce qui émerge de nouveau, et qu'elle contribue à faire émerger, dans l'Histoire et dans l'historiographie, dans la connaissance des mentalités, des diverses temporalités de l'HISTOIRE et des difficiles relations moi-HISTOIRE, et enfin dans la connaissance de l'évolution des manières d'écrire et de raconter.

Parce que le moi est toujours un moi social et socialisé mais aussi parce qu'il ne se réduit pas à sa dimension sociologique quantitative, la sociocritique est un engagement dans la recherche des confluences et des contradictions. Aussi ne tire-t-elle jamais un trait final qui ferait du texte un produit *fini*, alors qu'aboutissement il est aussi point de départ et quelque chose qui n'existait pas *avant* : tout texte, toujours déterminé, est toujours aussi un nouveau déterminant. Si la lecture sociocritique a toujours une dimension politique, elle a toujours aussi une dimension existentielle : ce n'est pas seulement l'enfant qui «vit l'universel sur le mode du particulier» (Sartre), c'est aussi tout homme, avec sa Raison et avec ses raisons, mais aussi avec sa conscience et avec sa *psyché*, donc avec son langage et avec ses langages.

1. Jalons historiques

«La littérature est l'expression de la société» (Bonald)

Pendant longtemps, la littérature (sa pratique comme sa lecture) relevèrent exclusivement de l'art d'écrire : rhétorique, prosodie, problème de l'imitation et de l'originalité, voire problème de la langue dans laquelle on écrivait (le passage du latin au français n'alla jamais de soi), et au total, problème des *modèles* (le problème du sonnet à l'italienne venant relever le problème de l'ode, qui venait du grec et du latin). Ecrire «purement» ou autrement fut longtemps la préoccupation majeure, le droit à l'invention devant toujours négocier avec les règles d'une esthétique et d'une bienséance. Alors même qu'une nouvelle réalité pénétrait la littérature (l'Amérique au XVIe siècle, de Ronsard à Montaigne), l'attention ne se portait pas encore sur la relation Société-Littérature. Mieux : au moment où les lois et la politique entraient dans le champ d'une réflexion relativiste (Montesquieu), nul ne songeait à un *De l'esprit des littératures* qui aurait envisagé l'écrire comme une institution et comme une superstructure articulées sur l'Histoire. Il fallut la secousse de la Révolution française : alors même que continuaient à s'imposer les modèles classiques, la philosophie, en devenant directement politique avait fait bouger la notion même de philosophie purement spéculative et métaphysique. Mais aussi tout un marché de la littérature avait changé. Nouveau public, nouveaux écrivains, nouvelles destinations des textes, l'exemple de Rousseau dont on ne savait trop quoi faire dans le champ d'un classicisme hégémonique : l'heure allait sonner de l'entrée de la chose littéraire (et plus généralement artistique) dans une discussion d'un type nouveau.

Cette discussion, toutefois, ne fonctionne pas dans le cadre auquel nous sommes aujourd'hui habitués. Il n'existe pas alors vraiment d'*enseignement* de la littérature, et la lecture socio-historique des textes n'est pas un enjeu scolaire, universitaire ni plus généralement méthodologique pour spécialistes de l'interprétation. Une institution comme le Lycée de La Harpe est un organisme parallèle et privé pour amateurs éclairés. Dans l'enseignement secondaire, le discours français (qui est un exercice rhétorique et d'imitation d'après le discours latin) dominera longtemps avant que ne pointe la dissertation vers la fin du XVIIe siècle : exercice de commentaire et d'analyse qui fera de l'élève non plus un apprenti-écrivain mais un apprenti-critique et professeur.

Il aura fallu, pour en venir à cette mutation, que naisse le magistère de la critique relayé par le journalisme et par les premières chaires universitaires (Villemain sous la Restauration). La discussion va donc s'instaurer entre écrivains, entre praticiens de la littérature qui se cherchent de nouvelles raisons d'écrire et qui s'interrogent sur leur propre pratique : que fait-on lorsqu'on écrit ? Et qu'ont fait les écrivains du passé lorsqu'ils ont écrit ? Moins que la littérature, au sens étroit et précis du terme, c'est la *culture* qui est interrogée, et l'ensemble des formes, et ce par des hommes écrivant qui sont aussi (pour reprendre une distinction de Barthes) des écrivains. Leur souci de didactisme, cependant, et leurs théorisations naissantes, ouvrent le chemin à ce qui deviendra une pratique spécifique («Nous nous proposons d'ouvrir un nouveau sentier à la *critique*», Chateaubriand, *Génie du Christianisme*), et c'est en ce lieu que se constitue et que s'instaure l'un des débats fondateurs de la critique historique : non pas tant le *parallèle* que l'*opposition* XVIIe-XVIIIe siècles, l'un et l'autre commençant à se disputer le qualificatif de *grand* (ce qui conduira à la provocation de Michelet : «le grand siècle, Messieurs, je veux dire le XVIIIe»).

Sous-tendue par toute une réflexion sur le politique et sur l'historique, portée à un haut degré d'incandescence par la Révolution et ses conséquences (liberté libérale, dictature «terroriste» et impériale, nouveaux problèmes de «la» Liberté et des libertés lors de la mise en place hésitante en 1814 d'un système parlementaire), cette réflexion sur le culturel ranime l'activité proprement créatrice en même temps qu'elle découpe le premier territoire d'une profession qui n'a pas encore tous ses professionnels.

Dès 1800, *le Génie du Christianisme* de Chateaubriand et *De la littérature* de Mme de Staël opèrent une véritable révolution et, sous l'Empire, dans un article du *Mercure de France* (1806) Bonald lance sa formule fameuse : «La littérature est l'expression de la société». Les points de départ et les visées sont certes bien différents (féconder l'héritage des Lumières pour Mme de Staël ; théoriser l'élément chrétien comme constitutif de la modernité chez Chateaubriand ; distinguer la bonne et la mauvaise littérature chez Bonald) mais les effets se révéleront convergents : tout *vient* de devenir historique et la littérature ne saurait y échapper. A la place d'un «homme éternel» que devait reprendre et magnifier tout un discours idéaliste et négateur de l'Histoire, apparaît un Homme à la fois *récurrent* dans les questions qu'il se pose sur son rapport au monde et *historique* dans son modelage par les conditions évolutives de son expérience. C'est le questionnement qui parcourt tout le *Journal* du jeune Beyle (futur Stendhal) et ses innombrables premiers essais littéraires : comment dire à la fois le réel et le tragique-poétique de ce qui est moderne ? Il y faut une nouvelle comédie (la peinture exacte du réel) – tragédie – épopée (l'expression de *notre* grandeur), avec de nouveaux sujets, de nouveaux héros et un nouveau style. Que ce doive et puisse être, comme Beyle mettre longtemps à s'en apercevoir, le roman («Ces gens-là ont bien besoin d'un Molière» dans le *Journal*, reprend «La Bruyère nous manque» du *Génie du Christianisme*), dit bien qu'on ne travaille pas sur quelque chose de mort et de classé mais sur quelque chose en train de se chercher et de se faire. Le chantier qui s'ouvre au début du XIXe siècle (mais déjà entr'ouvert par la querelle des Anciens et des Modernes à la charnière XVIIe-XVIIIe siècles) et qui demeure le nôtre est celui d'une écriture et d'une littérature qui se demande ce que réellement elle *fait*, à quoi elle sert et ce qu'elle signifie.

Chateaubriand

Pour la première fois, avec Chateaubriand, la question est vraiment posée du rapport-cohabitation jamais encore réellement interrogé entre culture païenne et culture chrétienne, rapport qui était au cœur même du classicisme. On écrivait dans des formes et avec des modèles gréco-latins mais avec un contenu *chrétien* («un homme né chrétien et Français», La Bruyère), au sens non tant théologique et fidéiste que moral, sensible et social. Chateaubriand montre que Phèdre et Andromaque parlent non en Grecques mais en Françaises et en chrétiennes : la mère, comme l'amoureuse, ne sont plus les mêmes. Quant à l'homme moderne et chrétien, il n'a plus ni l'agora, ni le Champ de Mars ni le stade mais le sentiment de sa solitude et de sa différence, avec cet autre profond sentiment du *manque* qui nourrit la théologie plus qu'il n'en est nourri.

> «On habite, avec un cœur plein, un monde vide ; et sans avoir usé de rien, on est désabusé de tout : L'amertume que cet état d'âme répand sur la vie est incroyable ; le cœur se retourne et se replie en cent manières, pour employer des forces, qu'il sent lui être utiles. Les anciens ont peu connu cette inquiétude secrète, cette aigreur des passions étouffées qui fermentent toutes ensemble : une grande existence politique, les jeux du gymnase et du Champ de Mars, les affaires du forum et la place publique emplissaient tous leurs moments et ne laissaient aucune place aux ennuis du cœur.»
>
> Chateaubriand, *Génie du Christianisme*

La relecture positive de Pascal (contre Voltaire qui en avait fait une erreur des vieux temps) et de Platon (que va traduire Cousin) ne va pas à quelque nouvelle bigoterie mais à un nouveau sentiment religieux qui intègre, avec le sentiment du manque et de l'infini, celui de l'*arkhé* (socle originel et fondateur) inséparable de celui des révolutions. Rien d'étonnant à ce que Rousseau soit sans cesse à l'esprit de Chateaubriand : par l'interrogation sur le moi passe l'interrogation sur le monde et sur l'Histoire. Le Christianisme est moins un décret et un résidu qu'une invention permanente. C'est le sens de la fameuse redécouverte du *gothique* : ce mot désignait jusque-là le *barbare* ; il désigne déjà, comme plus tard chez Malraux, l'une des formes locales et historiques de l'entreprise humaine. Le temple grec est une forme. La cathédrale et la flèche en sont une autre : désormais, à terme, l'art nègre n'est plus impossible. Contre l'universalisme «classique», livrée culturelle d'une domination et d'un socio-ethnocentrisme, se trouve affirmée la diversité des formes et des langages. Avec son *Andromaque* et sa *Phèdre*, Chateaubriand donne les premiers exemples d'explications de textes par le langage et par l'Histoire. Mais ce relativisme n'est pas abstrait et sec. Il ne s'enferme pas dans un déterminisme réducteur : il est la vie même et la condition humaine (et non plus la nature) au moment où les «intellectuels» (la «classe pensante» de Stendhal en 1825) commencent à s'interroger sur l'après-Révolution : le «vague des passions» n'est pas impuissance d'émigré comme on a voulu le croire mais sentiment des nouveaux plébéiens du monde moderne et déjà bourgeois.

Lorsqu'à propos des nouveaux Pouvoirs, Chateaubriand écrit «La Bruyère nous manque», il trace le futur programme de Stendhal et de Balzac : la mise en perspective historique et sociale de la littérature, avec ce héros-clé que devient le jeune homme (non plus simple adolescent prolongé et désirant mais philosophe et nouveau parleur d'une «sagesse»), n'est pas un exercice scolaire et critique mais le moteur d'une nouvelle conscience. En même temps, cependant, se constitue une nouvelle esthétique qui peut très bien fonctionner toute seule et, à terme, de manière indépendante par rapport à la création.

Madame de Staël

■ *Lecture diachronique*

Pour Mme de Staël, la littérature change avec les sociétés et avec les progrès de la «liberté». Elle épouse l'évolution de la science, de la pensée, des forces sociales. La littérature est toujours *critique* en même temps qu'appel de quelque chose. La littérature de Cour était contrainte à la satire et à l'amertume parce que l'horizon historique était fermé. Mais tout a changé depuis 1789 : une littérature de la fraternité est devenue possible et nécessaire. C'est Rousseau qui a décoincé le système en annonçant un monde nouveau alors que Voltaire demeurait enfermé dans l'ancien. Ainsi apparaissent des formes nouvelles à mesure qu'apparaissent des sentiments nouveaux : désormais la question du *quoi écrire* empiète sur celle du *comment écrire*, et la transforme :

> «Il existe dans la langue française, sur l'art d'écrire et sur les principes du goût, des traités qui ne laissent rien à désirer ; mais il me semble qu'on n'a pas suffisamment analysé les causes morales et politiques qui modifient l'esprit de la littérature. Il me semble qu'on n'a pas encore considéré comment les facultés humaines se sont graduellement développées par les ouvrages illustres en tout genre qui ont été composés depuis Homère jusqu'à nos jours [...]
>
> Ce que l'homme a fait de plus grand, il le doit au sentiment douloureux de l'incomplet de sa destinée. Les esprits médiocres sont, en général, assez satisfaits de la vie commune. Ils arrondissent, pour ainsi dire, leur existence, et suppléante à ce qui peut leur manquer encore par les illusions de la vanité ; mais le sublime de l'esprit, des sentiments et des actions doit son essor au besoin d'échapper aux bornes qui circonscrivent l'imagination [...]»
>
> Madame de Staël, *De la littérature*

■ *Lecture spatiale*

Pour Mme de Staël, le changement et le progrès s'inscrivent aussi dans l'espace : il est des territoires différents pour la littérature et pour la pensée. La liberté nouvelle est française, mais depuis longtemps existe une liberté européenne : là où des hommes et des sociétés avaient échappé à l'autoritarisme de l'*impérium* romain, prolongé dans les monarchies de type français. Ce sont les célèbres passages sur l'Allemagne et sur les «littératures du Nord», qui se sont constituées hors de l'hégémonie de l'Etat. La littérature c'est aussi ce qui se passe ailleurs : drame et roman anglais et allemand, universités allemandes, théâtre shakespearien. C'est la fin du modèle français et le début d'une anthropologie littéraire.

■ *La contradiction "littérature nécessaire-littérature de fait"*

De même qu'une politique rationnelle s'inscrivait dans la suite logique de l'*Esprit des lois*, une prospective du littéraire semble pouvoir être la suite logique de cette théorisation historico-sociale : la France nouvelle a besoin d'une grande littérature patriotique et sociale exaltant les nouvelles valeurs collectives, qui rejoignent les désirs des individus. Mais, aussitôt, Mme de

Staël repère un nouvel état de fait : le règne de nouveaux intérêts et de nouveaux égoïsmes dans la société consulaire, la montée de l'individualisme et de l'ambition. A nouveau l'individu sensible souffre. Il se replie, mais simultanément cherche la communication avec ses semblables. Or, ce que les hommes ont «fait de grand» est toujours venu du «sentiment douloureux de l'incomplet de notre destinée». Ce sentiment, qui s'exprime aussi dans la métaphysique (l'une des formes de résistance aux Pouvoirs) est donc le produit à la fois ultime et nouveau de la modernité. D'une logique de la littérature révolutionnaire (maintenue contre les tenants de l'ancien régime et de l'ancien système) on passe à une logique de la littérature révolutionnée.

L'ancien régime est fini mais aussi la fête révolutionnaire, et le «romantisme» naissant s'explique, à son tour, par l'Histoire évolutive et par les dernières mutations de la société. *De l'Allemagne* (interdit en 1810) amplifiera cette réflexion : *Werther* et *René* sont les produits de la société nouvelle devenant et devenue celle des notables et d'un pouvoir néo-monarchique qui se ressource dans la tradition française de l'*imperium*. Les droits de l'écrivain, qui un moment avaient semblé pouvoir s'inscrire dans une nouvelle littérature unanimiste et «sociale» sur un mode quasi-injonctif (on peut, et il *faut* écrire pour la société régénérée), s'inscrivent à nouveau dans des marges et selon des dissidences que guette la censure. Aussi, le grand théâtre «national» un moment programmé, recule-t-il au profit du roman conçu non pour les célébrations communes mais pour la communication intersubjective. Au moment où l'Empire, *via* l'Institut, essai, comme toujours, de tout prendre en main du culturel, Mme de Staël montre qu'une sociocritique réelle ne saurait se résoudre en police des Lettres («pour qui écrivez-vous ?») mais en théorie de la spécificité de l'écriture justifiée par l'analyse historique et sociale de ses composantes, de ses visées, de ses motivations et de ses résultats.

Contre les tenants d'une rhétorique et d'un art d'écrire intemporels, toujours cautions d'un Ordre, Mme de Staël demeure opérationnelle en tant qu'elle relativise toute littérature et en fait une institution sociale. Elle demeure pareillement efficace contre tout réductionnisme politicien qui entend fermer l'ère des révolutions et enclore la littérature dans une mission. La richesse de cette contradiction n'a pas fini de faire sentir ses effets.

Bonald et ses suites inattendues

La formule sur la littérature «expression de la société» avait d'abord une visée polémique : toute société a la littérature qu'elle mérite. Ainsi le XVIIᵉ siècle catholique et monarchiste avait-il une grande littérature alors que le XVIIIᵉ siècle, impie, en avait une mauvaise. Mais Bonald, par ailleurs l'un des premiers inventeurs de l'«homme social» et qui, catholique plus que chrétien, ne parlait pas de la transcendance, ne savait pas qu'il ouvrait la boîte à Pandore. Sa formule devait être largement reprise, sous la Restauration, par tous ceux qui entendaient inscrire la réflexion sur le littéraire dans l'Histoire : saint-simoniens, critiques du *Globe* (à partir de 1824), fondateurs de l'histoire littéraire et de la littérature comparée. Contre les «classiques» conservateurs (souvent des libéraux et des hommes de Gauche), tenants de l'idée de *modèle* («nos classiques français»), et hostiles à un romantisme dans lequel ils voyaient un «Coblentz littéraire» (ce qui revenait à admettre la thèse de l'adversaire sur la liaison littéraire-historique et politique), ils devaient se faire les défenseurs de la diversité. La littérature expression de la société devait se développer selon trois axes :

– Reconnaissance de toute littérature impliquée par la reconnaissance de toute société : à Shakespeare et aux Allemands, *Le Globe* ajoute l'Orient, l'Amérique du sud, la Scandinavie, la Chine, etc. Les traductions se multiplient.

– Explication de toute littérature par ses déterminations et besoins propres.

– Naissance d'une sociologie du littéraire comme phénomène social : le marché de la «librairie», l'impact du journalisme, les phénomènes d'édition et de diffusion – puisque la littérature se développe désormais hors des Cours.

Outre le corpus du *Globe*, *Racine et Shakespeare* de Stendhal (1825) et d'innombrables textes saint-simoniens (également à partir de 1825) étendent l'interprétation socio-historique de la littérature : elle correspond toujours aux besoins d'un moment. Pour Stendhal, les classiques ont été romantiques en leur temps parce que tout écrivain est toujours moderne. Pour les saint-simoniens, la littérature est à lire selon les alternances de périodes *organiques* (ou le social intègre sinon la totalité du moins le maximum de forces humaines) et *critiques* (où, l'unité se brisant sous la poussée de «nouveaux besoins» et appelant de nouvelles «combinaisons sociales», les voix se font discordantes) : ainsi le socratisme, la littérature qui procède de la Réforme et aujourd'hui le romantisme ne sont-ils pas des désordres impies et gratuits mais les signes d'un désordre général et du besoin d'un nouvelle unité.

La littérature achève alors de prendre sa place dans l'ensemble des phénomènes et des pratiques socio-historiques. Au début de 1830, Hugo résume tout en disant que le romantisme n'est après tout que «le libéralisme dans la littérature» (préface d'*Hernani*) : entendez le nouveau libéralisme démocratique et non plus le vieux libéralisme des voltairiens embourgeoisés. La littérature expression de la société échappe ainsi à ses origines, souvent oubliées : la formule a été subvertie, transformée. Pour autant, ses nouveaux opérateurs éviteront la même erreur que Mme de Staël : celle de l'injonctif et du normatif. Ils sauront éviter de confondre ce qui est explication du passé et de l'héritage avec la pratique immédiate et la prospective de l'avenir : la société immédiate comme l'Histoire étant opaques, la littérature ne saurait être transparente. Tous défendront les droits imprescriptibles de l'écrivain, et Balzac ne reprochera pas à tel romancier d'avoir écrit un roman républicain mais d'avoir écrit un mauvais roman.

Ainsi se consolide un acquis : ne pas confondre la lecture explicative du passé (où beaucoup de choses sont en place) avec des recettes pour le présent et pour l'avenir (où rien n'est sûr et où tout est en cours). La littérature du passé peut avoir été «expression de» comme «au service de» : rien ne saurait être aussi net pour la littérature en train de se faire et dont les finalités échappent. Certaines de ses modalités sont bien perçues : marché, contrats, droits d'auteurs, lobbies et réseaux, précisions sur le «métier» d'écrivain, perception de l'importance des technologies du papier et de l'imprimerie ; très vite ses produits sont lus comme ceux de moments historiques (la littérature émigrée, celle des «enfants du siècle») ; mais elle demeure largement existentielle et langagière : le problème du style est au centre, aussi bien que celui des «sujets» (voir l'Avant-propos de l'*Armance* de Stendhal en 1828). La première entreprise sociocritique n'a pas réifié la littérature. Elle en a fait une activité autoréflexive plus riche et plus ouverte. Elle a aussi généré une démarche vouée à l'indépendance : celle de

l'explicateur de textes qui s'installe non tant au cœur assuré que
dans le flux incertain de l'Histoire.

Les grandes théorisations déterministes

On entre ici dans le champ d'un infini qu'il est possible cependant de ramener à quelques points clairs avec, toujours, des
«certitudes» comme des échappées.

■ *Taine, le milieu, la race et le moment*

La Fontaine et ses fables (1853), de Taine, eut son heure de
gloire. Plus cependant que son déterminisme positiviste par trop
sec et qui ne laissait plus rien derrière lui, importent deux grandes
idées. Le milieu et la race viennent de loin ; ils relèvent de ce qu'on
appellerait aujourd'hui la longue durée. Le moment, lui, fait
intervenir non seulement l'événementiel ponctuel mais aussi le
changement saisi en un point particulièrement fort. L'écrivain et
son texte sont ainsi un double produit et non quelques miracle
gratuit. Mais avec sa «liaison des choses simultanées» (il y a
correspondance entre une tragédie, le château de Versailles, un
opéra et une manière de raisonner), Taine introduit ce qui ne
s'appelle pas encore une structure signifiante. Une coupe transversale s'opère qui définit la cohérence momentanée d'une pratique
sociale et culturelle. S'ajoute également l'idée que, *document*, le
texte est aussi *monument* (l'idée sera reprise, avec l'expression, par
Michel Foucauld) : il reflète, mais aussi il construit et il invente ;
il met dans un certain ordre ce qui est épars et diffus dans le social.
Finalement, l'écrivain, si l'on ose dire, écrit quand même. Il
manque à Taine ce qui n'existe pas encore : la science du langage
et la science de l'inconscient. Mais il déclasse l'impressionnisme
mondain aussi bien que l'idéalisme dominant.

■ *L'apport du marxisme*

Expliquer la littérature par les rapports sociaux et les luttes de
classes était inévitable et programmé pour une théorie du superstructurel : comme le Droit, comme la Politique, comme les Idées
et l'idéologie, la littérature et la culture devaient être repensées
comme effets et comme moyens d'une dernière instance économi-
co-sociale. L'héritage devait être relu à la lumière de la «dialecti-

que historique». Avec d'innombrables variantes, le nouveau matérialisme allait travailler dans trois directions.

■ *La lecture des champs culturels et littéraires*

Dans la perspective marxiste, la littérature n'est pas qu'une pratique au sommet chez de grands écrivains. Elle est aussi un marché et une pratique extensive. D'où les recherches sur les conditions et moyens de son exercice : étude des milieux, des réseaux, des systèmes de production, de reconnaissance et de réception. Qui écrit quoi et qui lit quoi ? La sociologie du littéraire complète la sociologie du politique et de l'intellectuel. L'histoire des discours et de leurs diffusion peut être rabattue sur l'étude du champ social global. L'entreprise est homologue de celle de Jaurès en son *Histoire socialiste de la révolution française*. Conditions de la production littéraire, histoire de la lecture et de l'alphabétisation, infra-littérature, para-littérature, groupes sociaux anciens et nouveaux, la littérature n'est plus Apollon inspirant le Poète mais un aspect de l'histoire sociale. Mais cet effort extensif et quantitatif devait porter des fruits qualitatifs comme la réhabilitation d'auteurs «censurés» (du curé Meslier à Vallès) ou de formes méconnues comme le roman populaire.

■ *L'interprétation des grands textes*

Il s'agissait de les «reprendre» à des lectures qui les châtraient. Les scandales et les rejets qui suivirent les propositions de Lukacs ou de Goldman (*Le Dieu caché* provoqua le même tollé que, plus tard, le *Racine* de Barthes) montrèrent que la visée n'était pas illusoire. Les grands textes avaient dit des crises, des impasses, des apories que l'on n'avait pas voulu voir. De même qu'il n'y avait plus de connaissance de 1789 sans connaissance des courbes de prix (Labrousse), il n'y avait plus de connaissance des grands écrivains sans connaissance des contradictions qu'ils avaient exprimées. Le travail porta surtout sur le XIXe, siècle des révolutions incomplètes. Le triomphe fut de montrer que l'idéologie avouée des auteurs était parfois en contradiction avec le résultat de leurs œuvres, l'exemple le plus fameux étant celui de Balzac, écrivant à la lueur de deux vérités éternelles, le Trône et la Religion, mais étant en fait, comme le dit Hugo sur sa tombe, de la forte race des «écrivains révolutionnaires» : Engels devait dire qu'il avait plus appris chez lui que chez les historiens de profession (Augustin

Thierry avait déjà dit la même chose de Walter Scott). Curieusement, le texte sortait ainsi vainqueur de ce qui risquait de le
réduire : il produisait son propre sens, et l'on n'oubliait pas que
Marx s'était interrogé sur l'intérêt que nous portons toujours à
Homère. Le moment 1830 ou 1848, l'impasse de la jeunesse
intellectuelle, le problème du pouvoir neuf de l'argent, l'immaturité des révoltes, l'avenir malgré tout capitaliste, les lumières
depuis longtemps bourgeoises, la réfection constante des Pouvoirs : bien des textes prenaient un autre sens. Et l'intérêt des
écrivains pour Saint-Simon, par exemple, prouvait que leur idéologie aussi était à la recherche de quelque chose ces «graines de
l'avenir» dont parle Aragon dans *La Semaine sainte* à propos de
Géricault et de tout artiste cherchant sa voie.

■ *L'esquisse d'une finalisation*

Le marxisme n'était pas seulement une interprétation. Il était
aussi une politique, et donc aussi une politique pour la littérature.
Outre un effort sur les thèmes – donner ses chances à une autre
littérature pour un nouveau public désormais autre que bourgeois
et mondain – il en produisait un sur les textes mêmes. C'est Lukacs
qui devait être le plus cohérent.

> «Tout grand roman – certes d'une manière contradictoire et
> paradoxale – tend vers l'épopée, et c'est justement cette tentative
> et son échec nécessaire qui est la source de sa grandeur poétique.
>
> [...] au stade supérieur de la barbarie, à l'époque homérique, la
> société était encore relativement unifiée. L'individu, placé au
> centre du monde par la création poétique, pouvait être typique en
> représentant une tendance fondamentale de la société tout entière
> et non une opposition typique à l'intérieur de la société.
>
> [...] Avec l'éclatement de la société gentilice, cette forme de
> figuration de l'action ne peut que disparaître de la poésie épique
> car elle a disparu de la vie réelle de la société. Une fois apparue la
> société de classes, la grande poésie épique ne peut plus tirer sa
> grandeur épique que de la profondeur typique des oppositions de
> classes dans leur totalité mouvante. Pour la (nouvelle) figuration
> épique, ces oppositions s'incarnent en tant que lutte entre des
> individus *dans la société* (souligné dans le texte).
>
> Georges Lukacs, *Le Roman*, in *Ecrits de Moscou*, traduit par
> Claude Prévost.

Au «héros moyen», héros du compromis et de l'occultation des
conflits, le «grand réalisme» avait fait succéder le «héros criti-

que», qui faisait éclater les contradictions et qui, typique, vivait aussi sur le mode le plus personnel, un universel en crise. Mais devait lui succéder à son tour, dans le cadre d'une littérature plus mature, le «héros positif» qui, lui, dépassait la crise et ouvrait l'avenir. Le dispositif permettait de faire le procès du naturalisme «photographique», qui avait tout remis à plat et d'ouvrir la porte à un nouveau réalisme, «socialiste» celui-là, qui ne se contenterait plus de dénoncer.

Esquisse d'un bilan

Très fructueuse pour la relecture des «classiques» en leur temps et confrontés au nôtre, la démarche portait en elle, chez les plus militants, un redoutable péril : celui des prix d'honneur et des condamnations. La plus célèbre fut celle de Flaubert, sommairement condamné par Lukacs (dans son *Roman historique*) comme régressif par rapport aux auteurs du «grand réalisme». On constate aussi un rétrécissement du champ littérature : si le théâtre et surtout le roman sont gibiers de prédilection, la poésie demeure peu interrogée sinon pour ses discours explicites. A noter sur ce point la forte réaction d'Aragon qui, dans son inventaire du «réalisme français» va chercher Musset comme manieur de langage et notamment d'alexandrins. Enfin, les lectures marxistes fondatrices manquaient souvent de rigueur scientifique. Elles se cristallisaient sur des textes-phares et tombaient souvent dans le piège du Panthéon littéraire institué. Un effort considérable a été accompli sur ce point par toute une génération pénétrée de marxisme et qui a renouvelé l'histoire littéraire par une nouvelle recherche extensive et érudite [1] très sensible, par ailleurs, à la réalité même du *texte* qu'elle abordait avec les armes nouvelles et voisines de la sémiotique littéraire et de la psychanalyse [2].

La «société du roman» dont parle Claude Duchet, société produite par le texte et non pas seulement reflétée par lui, dépasse le sociologisme naïf et simplifiant pour saisir à la fois un texte d'effets (le texte nomme ou connote des réalités qu'il importe

---

1. Voir *l'Histoire littéraire de la France*, Paris, Editions sociales, à partir de 1973.
2. Voir, à titre exemplaire, la thèse d'Anne Ubersfeld sur le théâtre de Hugo, *Le Roi et le bouffon*, et l'article de Claude Duchet sur *Le système des objets de Madame Bovary*.

d'identifier : le système des objets jetables dans *Madame Bovary*, et les débuts de la vente par correspondance et du kitch) et des effets de texte. C'est ce qu'entend Badiou lorsqu'il dit : «non pas reflet du réel mais réel du reflet», et donc analyse matérialiste de l'écriture. A son point d'aboutissement le plus valable, la sociocritique n'évapore pas le texte. Elle le promeut et sert la littérature, arrachée aux vieux magismes. Lukacs déjà avait attiré l'attention sur ce qu'il appelait les «formes sens» : il n'y a pas, d'un côté, les «idées» et les «sentiments» et de l'autre le «style» ; il y a un acte fédérateur et novateur par quoi le réel passe du latent à l'exprimé.

Comme tout parcours, celui-ci fait apparaître du devenir et du récurrent. *Devenir* : les hommes ont, ou peuvent avoir, une conscience plus large de ce que sont l'acte d'*écrire* comme l'acte de *lire*. *Récurrent* : les situations ne produisent pas *ipso facto* des œuvres. On connaît mieux ce que l'écrire exprime, vise, éventuellement atteint. Mais on ne sait pas pour autant mieux *faire* des écrivains. Il en est allé de même de la science du politique : elle a longtemps cru qu'elle pourrait fonder enfin une «politique rationnelle» (expression saint-simonienne reprise par Lamartine en 1831) à partir d'une connaissance de la politique du passé. L'acte d'écrire, en ses relations avec l'inconscient et avec les outils du langage (jamais inertes mais toujours forgés) est un acte de progrès mais aussi un acte de refuge et de refus et, à cet égard, tout texte est clandestin, frauduleux, même les plus publics. Tout texte est parole secrète, fragment, cryptogramme, des tablettes d'Hamlet aux *Mémoires* secrets de Sain-Simon en passant par les brouillons de Pascal avant la masse des *marginalia* de Beyle.

Aussi la critique moderne a-t-elle habilité le fragment et le brouillon, l'avant-texte ou le péri-texte et ne s'en tient-elle plus aux chefs d'œuvre en majesté des institutions. Elle s'attache à la notion de *discours*, quel que soit son habillage. C'est ici que la sociocritique, supposée initialement faire la clarté chez les Muses, en vient à enrichir et complexifier le si vieux problème de *qui tient la plume* et *qui souffle les mots*. Comme toute démarche vraie, la sociocritique nous somme d'interroger nos capacités de divertissement ou d'auto-mystification : qu'est-ce que produire un texte ? Comme : qu'est-ce qu'aimer et désirer ou bien exercer un Pouvoir ? Dans cette perspective, la sociocritique n'est pas une méthode de plus rangée sur une étagère parmi les autorités. Ayant voulu voir clair dans le système des objets, elle en vient à poser en termes renouvelés le problème du sujet, et donc à raconter notre vie. Elle institue l'homme concret dans le cadre mais aussi dans les marges d'une humanité concrète.

2. Problèmes et perspectives

Lecture de l'explicite

Valmont signale, fugitivement mais réellement, son appartenance à une classe sociale désormais sans lendemains. Le polytechnicien Octave de Malivert demande ce que c'est désormais qu'un nom, aujourd'hui que la machine à vapeur est «la reine du monde». Dominique, le «pur» amoureux de Madeleine, parle de sa participation, avant 1848, à un cénacle républicain, voire socialisant. Ou encore : la Révolution de 1830 est absente, en dépit de la chronologie, aussi bien de la *Confession d'un enfant du siècle* que du récit des *Misérables* (fin 1828, les amis de l'A.B.C. préparent une révolution... qui sera l'insurrection de 1832), et elle ne parvient pas jusqu'au collège de Rouen dans *Madame Bovary*.

En plein ou en creux, quelque chose est là dans le texte qu'il s'agit d'abord de ne pas refouler et de prendre en compte. Le degré zéro de la sociocritique est d'abord de ne pas considérer comme secondaires ou négligeables certains énoncés patents. Face à toute une tradition psychologisante et déshistorisante (jadis au nom de l'homme éternel, aujourd'hui au nom du texte pure forme), il s'agit de recharger le texte de ce qui y *est* déjà, mais qui a été marginalisé ou évacué. Il ne s'agit pas ici d'un symbolique obscur mais de références claires à restituer, et qui peuvent être disséminées : M. de Rénal a une fabrique de clous ; mais il a aussi des contrats avec le Ministère, ce qu'on n'apprend que plus tard dans le roman ; il ne peut s'agir que de contrats pour la fourniture de clous destinés aux chaussures *militaires*, ce qui implique ou suggère une continuité de l'activité «industrielle» du maire de Verrières sous l'Empire et sous la Restauration, et de là se précise le caractère trans-régimes des intérêts capitalistes, les entrepreneurs fussent-ils à particule. M. de Rénal avait d'ailleurs voté oui à «Bonaparte», comme le dit le reproche qu'il fait au vieux chirurgien d'avoir, lui, voté non.

On le voit : le refoulé et le non-lu sont ici économico-politiques et renvoient aux rapports sociaux. Il importe donc de traquer ce qui, dans le texte, se trouve *dit* et dénoté, ce qui travaille dans deux directions : relecture du texte et critique des non-lectures et de leurs raisons.

Mais cette décensure anti-bourgeoise n'est pas tout.

Après avoir vu et dit que, dans *La Mort et le bûcheron*, le créancier (c'est-à-dire l'usurier et le bourgeois) pèse aussi fort sur le misérable que le seigneur et le roi (la «corvée»), demeure un autre et immense travail.

Lecture de l'implicite

Un texte n'est pas fait que de chose en clair et qu'on n'avait pas pu ou pas voulu voir. Un texte est aussi une arcane qui dit le socio-historique par ce qui peut ne paraître qu'esthétique, spirituel ou moral. Dans quelle mesure l'auteur le fait «exprès» ou non est secondaire : seul compte le texte. Robbe-Grillet a-t-il «voulu» dans *La Jalousie*, opposer les deux espèces d'Européens «africains» qu'y a vu Jacques Leenhart ? Que signifie le néo-classicisme rémanent qui va des *Dames du Bois de Boulogne* à *Marienbad*, et qui ressuscite ou suscite la tragédie ? Et quel rapport au foisonnement des *Enfants du Paradis* ? Ces exemples pris au cinéma sont importants dans la mesure où ils renvoient à l'une de nos plus anciennes pratiques : celle du spectacle, relancé par une technologie nouvelle de l'expression. L'implicite, en fait, le lisible, le à-lire sont à détecter et interpréter autour de trois pôles :

■ *Les situations de blocage et d'impasse*

Il y a toujours, dans tout texte, des perturbations du langage et/ou du comportement, des opacités qui tranchent sur le relativement clair de «la vie» et du cours du monde. Celui qui parle ou qui agit autrement (aphasie ou logorrhée, fuite ou agression) fait toujours émerger des frustrations et/ou des aliénations qui, pour sembler caractérielles ou existentielles, renvoient toujours à des crises et à des apories dans le réel socio-historique. D'où vient, sans doute, le prestige et l'importance du fou et de l'errant avec leurs contre-langages et leurs contre-conduites (le mendiant aveugle de *Madame Bovary* est aussi un poète, et un voyeur). Révolte, scandale et suicide peuvent être les manifestations plus ou moins mixées de ce porte-à-faux : il s'agit toujours de valeurs et des lois qui sont mises en question. Hamlet, Don Quichotte et Emma Bovary, avec au passage Alceste et René, emblématisent ces amputations de l'être et la recherche de «solutions» qui impliquent le lecteur. Là sont les grands mythes modernes, mythes fictionnels à comparer avec les mythes épiques de la fondation (Virgile) : le manque, l'absence, l'ailleurs, «l'autre chose» travaillent la modernité (comparer sur ce point le *Télémaque* romanesque de Fénelon à son modèle homérique). Ces grandes figurations critiques (on retrouve Lukacs) combinent et font co-exploser ce qui vient du parental et ce qui vient du plus précisément historique : le sentiment de bâtardise et d'illégitimité est ce que Sarte nomme, à propos de l'enfance, «l'universel vécu sur le mode du particulier», les divers refoulés, les divers inconscients s'emboîtant pour la constitution d'un imaginaire.

Ainsi se trouvent mis à leur place les figures trop claires de la propagande et de la démonstration : le «bon» Chouan, littérairement parlant, ne peut parler que pour beaucoup plus qu'une étroite fidélité à une cause trop simple, et il en va de même du «bon» révolutionnaire qui tente de régler d'autres comptes que ceux d'une seule liberté politique, dont l'analyse sociologique montre vite les limites. La famille, le couple et la société apparaissent comme des lieux d'usure et d'illusion dont le cousinage étend singulièrement les frontières de l'historico-politique. Naissent ainsi de nouveaux carrefours œdipiens dont Hamlet donne un prodigieux exemple et dont une théorie peut être extrapolée à partir des propositions de Marthe Robert sur la bâtardise et de René Girard sur la triangulation du désir : toujours le privé s'ancre dans le public, mais aussi toujours le public n'accède au signifiant qu'au travers d'une intériorisation privée productrice de langage.

■ *Les transgressions formelles*

Tout texte transgresse un Art poétique, et les querelles littéraires portent toujours sur le style : que ce soit la construction d'une phrase, les relations à la prosodie, la construction d'une intrigue, la constitution d'un personnage ou les niveaux de langue. Il y a, dans tout texte, quelqu'un qui parle comme tout le monde et qui n'a jamais un mot plus haut que l'autre (Polonius dans *Hamlet*, ou Léon dans *Madame Bovary*, vanté par Madame Lefrançois : il mange, en plus, tout ce qu'on lui donne, au lieu d'être boulimique ou anorexique, ce qui renvoie de nouveau à l'aphasie et à la logorrhée). Or, ce langage d'Etat et ce langage des familles et de l'Ordre et des Académies, ainsi transgressé, est toujours un langage de Pouvoir. L'aveu de Mme de Clèves à son mari, les quatre actes du *Mariage de Figaro*, la pièce montée par Hamlet pour produire un électro-choc sur le Roi, la prose poétique à la fin du XVIIIᵉ siècle (alors que la prose n'était supposée servir qu'à l'exposé, et alors que la poésie se rigidifiait), les imparfaits de Flaubert et la phrase de deux pages de Proust sont les indices d'un langage non seulement *exocratique* (par opposition au langage *endocratique* pour reprendre une proposition de Barthes) mais *hétérocratique*, dans la mesure où il est perçu comme une menace par l'establishment et appelle à une prise de pouvoir par des forces autres, et qui sont d'abord des forces littéraires. Les transgressions formelles ne sont donc pas seulement des tempêtes dans un verre d'eau académique et scolaire.

Ecrire autrement a toujours une signification politique, comme le prouve la fameuse querelle sur *Racine et Shakespeare* vers 1825 : déconstruire l'intrigue souveraine et bien faite, faire muter le monologue du délibératif et du décisionnel vers l'existentiel et le philosophique [1], introduire les autres langages comme l'argot ou le monologue intérieur, pervertir le dénouement du résolutif vers la rêverie infinie («la marquise resta pensive» de Balzac, qui est la première manière de ne plus la faire sortir à cinq heures), ou valider, du côté de la lecture, des œuvres inachevées comme *Lucien Leuwen*, sont autant de signes de tension entre le sujet-public et les instances de Pouvoir. Le dérangeant littéraire peut être thématique (l'amour de René pour sa sœur), mais il est d'abord et surtout esthétique : *Odes et ballades* est un titre incendiaire dans la mesure où il contamine un héritage scolaire par des recours à une poésie de sauvages allemands et autres. Les inventaires (comme ceux des objets et des fonctions : les objets du quotidien et plus seulement le miroir ou l'épée ; le bouffon-Prince ou clochard et plus seulement le Roi ; le jeune homme-philosophe du romantisme et non plus l'amoureux et le jeune premier) doivent

---

1. La forme limite étant l'absence de monologue, comme chez Alceste, qui oblige le lecteur ou le spectateur à imaginer ce qu'Alceste se dit à lui-même, notamment à l'ouverture de l'acte V avant que ne reparte le dialogue avec Philinte.

s'étendre aux procédés d'expression qui ne sont pas toilettes du textes mais son être même.

■ *HISTOIRE-Histoire-histoire*

Cette trigraphie et cette triconceptualisation (Pierre Barbéris, *Le Prince et le marchand*) fournissent un point de départ commode pour savoir de quoi on parle :

– HISTOIRE : réalité et processus historique objectivement connaissables.

– Histoire : le discours historique qui propose une interprétation, volontiers injonctive et didactique, de la réalité et du processus historiques.

– histoire : la fable, le récit, les thèmes et leurs agencements qui fournissent une autre interprétation, hors idéologie et hors projets sociopolitique clair, de ce même processus et de cette même réalité historiques dans leur relation avec le sujet vivant, pensant et écrivant, mais aussi avec les masses-publics à naître. L'histoire et les histoires contredisent le plus souvent le discours de l'Histoire immédiatement contemporaine et annoncent souvent des systématisations historiques qui viendront plus tard. L'histoire a donc pouvoir d'anticipation, en donnant de l'Histoire une représentation plus exacte. Par exemple :

– C'est dans l'histoire et dans les histoires qu'ont d'abord parlé la longue durée et les mentalités, que l'Histoire devait par la suite, constituer en objets historiques et scientifiques alors que sur le moment l'Histoire était encore asservie à l'événementiel superstructurel et politique (la réalité historique qui court sous les événements voyants comme la Révolution française ; les réalités de l'imaginaire).

– C'est dans l'histoire et dans les histoires que s'est constituée au XIXe siècle une interprétation des guerres de l'Ouest par l'affrontement entre paysans dépourvus et Bleus bourgeois acquéreurs de biens nationaux, et non plus seulement par le complot aristocrate et clérical des historiens démocrates et libéraux (Michelet) : en proposant une anthropologie socio-imaginaire de l'Ouest, Balzac et Barbey (*Les Chouans, L'Ensorcelée*) ont anticipé sur les historiens modernes de la Vendée et de la Bretagne (Paul Bois, Jean-Clément Martin, Roger Dupuy).

La trigraphie et la tri-lecture ci-dessus proposées justifient, entre autres, les prétentions du roman au XIXe siècle à être *historique*, et pas seulement par le folklore et la fameuse couleur locale. HISTOIRE-Histoire-histoire pose le problème de la relation de la conscience au réel : il y a toujours une Histoire officielle et endocratique pour donner le fin mot de l'HISTOIRE ; mais il y a toujours aussi des histoires pour venir brouiller le jeu et redistribuer les cartes. L'*histoire*, d'ailleurs, peut très bien se recouper avec la distinction capitale chez les linguistes entre *récit* et *discours* : l'*histoire-récit* est toujours le récit empêchant le texte de s'ossifier en discours et de réifier l'HISTOIRE, qui relève certes du scientifique mais qui est aussi existentielle et problématique et qui n'est peut-être connaissable que par éclats. Le texte littéraire est ainsi l'une des pièces capitales de la connaissance du réel, et il est aujourd'hui fort surprenant que les historiens de la «nouvelle Histoire» n'en aient que si peu tenu compte pour substituer à l'ancien discours historique une Histoire plus pertinente. Et c'est sans doute un autre aspect du «plaisir du texte» que d'en découvrir et d'en établir, autant que faire se peut, la valeur et la force cognitive.

Les bases nouvelles de la sociocritique

a. Tout lecteur *appartient à une société et à une socialité* qui, à la fois, déterminent sa lecture et lui ouvrent des espaces d'interprétation, le conditionnent et le rendent libre et inventif.

b. Tout lecteur est *un moi*, venu de relations parentales et symboliques qui, elles aussi, le déterminent et lui ouvrent des espaces de recherche et d'interprétation.

Or les deux séries, qui fonctionnent à l'injonction, à l'interdit, mais aussi à la décensure et à la transgression, interfèrent des origines jusqu'à l'aujourd'hui. Le *moi* historique et l'HISTOIRE vécue par le *moi*, avec toujours le langage comme médiation, comme outil et comme moyen, organisent le rapport au texte : tout *moi* et toute HISTOIRE sont toujours socle et projet, *arkhé* et utopie, et donc tout texte mobilise à la fois souvenirs et aspirations. Dans le texte sont toujours à l'œuvre des forces de reconnaissance et d'identification avec des forces de recherche et d'invention. Le fantasme et les grands processus collectifs se retrouvent au niveau des *signes*.

c. Si notre lecture sociocritique est immergée dans une socio-historicité qui la détermine mais par rapport à laquelle elle invente et prend ses distances (si les hommes sont des produits ils sont aussi des consciences), elle est également engagée dans et par *des systèmes constitués de discours et de signes* qui lui préexistent mais qui ne sont pas figés pour toujours (les «genres» des arts poétiques n'ont jamais été que des tentatives de consolidation de ce qui évoluait de toute part) et que la lecture, aussi, travaille et retravaille. Le roman, le sonnet, les formes nouvelles de l'ode et du théâtre (le drame «bourgeois» qui va nourrir lui aussi un nouveau romanesque et un nouveau roman : ceux d'un réalisme et du tragique de l'actuel et du moderne, alors que le «classicisme» postulait une séparation entre comédie = peinture des mœurs et tragédie = expression du tragique de la vie) ont proliféré dans les marges d'Aristote et d'Horace. En même temps se constituait une lecture inter-formes et inter-genres à la recherche d'un discours polymorphe réparti entre des productions textuelles apparemment classifiées : le «romantique, comme on disait vers 1820-1825, n'est pas poésie, théâtre ou roman (ou peinture et opéra), il est d'abord et essentiellement romantisme, nouvelle manière de voir et de dire qui investit les registres académiques et circule à travers les rubriques. Il s'en suit plusieurs conséquences :

• Semblent relever en première ligne de la lecture sociocriti-que les formes qui font explicitement concurrence à l'Histoire : le roman réaliste et social ainsi que le théâtre politique «mo-derne». En quoi les grands drames allemands de Shiller et de Goethe, ou français de Musset et de Hugo, en quoi les romans de Walter Scott, de Goethe, de Stendhal, de Balzac et de Flaubert ajoutent-ils à l'Histoire en même temps qu'ils la vérifient ? Le premier gibier de la sociocritique est évidemment la littérature qui entend «faire concurrence à l'état civil» (Bal-zac) et qui nomme, directement ou de manière médiatisée et symbolisée des réalités historiques, sociales et politiques. Lorsque le romancier entend se faire historien, il ouvre à la sociocritique une voie royale.

• Pour autant, les formes moins engagées dans l'historisation et dans la socialisation du discours littéraire, poétique et fictionnel non directement «historique», ne demeurent pas à l'écart : on commence à voir dans *A la Recherche du Temps perdu* un «autre» roman, historique lui aussi, avec chronologie, rapports de classe et relecture de l'HISTOIRE (la victoire des dreyfusards égale la relève des Guermantes par les Verdurin, et Proust en dit sans doute plus que les didactiques *Hommes de bonne volonté* de Jules Romains). Mais, pour provoquer : le socio-historique de Mallarmé demeure à découvrir. A l'inverse, le socio-historique d'Aragon est sans doute ailleurs que dans ses messages clairs (la «femme nouvelle» des *Cloches de Bâle*, ou Géricault communiste sans le pouvoir et sans le savoir).

• La sociocritique se trouve ainsi engagée dans deux tâches apparemment contradictoires : historisation et socialisation de textes dont l'historicité et la socialité ont été sous-estimées ; correction et réappréciation de l'historicité et de la socialité véritables de textes dont le message socio-historique était un peu trop clair (de même : le «christianisme» de Pascal et de Chateaubriand, ou de Claudel et de Mauriac, doivent être relus d'un autre point de vue que de celui d'un discours catholique dominant). Entre les deux, si l'on ose dire, d'immenses zones de la production littéraire demeurent à lire et à interpréter comme symbolisations et figurations qui ne sauraient relever d'une seule problématique «poétique» abstraite. Mais surtout, la sociocritique pose aujourd'hui un immense problème de pensée, de théorie du monde et de théorie du moi.

d. *La conscience historique et la conscience de l'HISTOIRE* ne sont pas uniquement des consciences claires ni des consciences de la clarté ou de la pure Raison, c'est-à-dire de fins et de finalités rassurantes : ni la Science ni la politique ni *le* politique ne produisent à coup sûr bonheur et certitude, et c'est là un acquis de la modernité. Dès le XVIᵉ siècle, on s'est interrogé sur la poudre à canon, sur les progrès de la navigation qui avaient produit les massacres d'Amérique. La Bruyère puis le jeune Goethe se sont demandé en quoi l'homme était plus heureux depuis qu'il connaissait correctement les mouvements des astres, et toute une réflexion post-Révolution française a porté sur la postérité bourgeoise de 1789-1815 ainsi que sur la violence et sur la dictature. L'interrogation n'a fait que croître au XXᵉ siècle (dégradation de l'écosystème ; effets destructeurs du libéralisme et du marché ; productivité terroriste et étatique des «révolutions» ; vertiges devant les conséquences de la Science sous ses divers aspects ; retour du fanatisme et de l'obscurantisme). Aussi, la lecture sociocritique n'est-elle pas seulement la recherche d'une finalité révolutionnaire et progressiste mais aussi la découverte d'impasses et de contradictions que disent les textes beaucoup plus fort que les systèmes idéologiques.

L'«heure sombre» de Hugo vers 1832-1834 (si près du «Soleil de Juillet»), les illusions d'Enjolras et de ses camarades de l'A.B.C. dans *Les Misérables*, la mort solitaire de Jean Valjean (pour ne prendre que cet exemple) ne balisent pas une marche à l'étoile mais la conscience d'un certain tragique inhérent à l'HISTOIRE en sa répétitive incomplétude. Le romantisme naissant à redécouvert Pascal et Socrate et c'est dans sa prison que Julien Sorel découvre que le religieux, le sacré, l'absolu ne sont peut-être pas qu'une mystification du parti-prêtre. Depuis longtemps, le procès du «progrès» (Ronsard et le nouvel «âge de l'or», Montaigne, Rousseau, Stendhal, Baudelaire, Barbey d'Aurevilly, etc.) se trouve conjoint à diverses pratiques et expériences du même «progrès» : *Hamlet*, immédiatement après la Réforme et la naissance de l'Etat moderne, a réinventé l'interrogation métaphysique sur le sens même de la vie et des pratiques sociales.

La lecture sociocritique n'est donc pas une annexe d'un progressisme simpliste et naïf. Elle est l'une des formes de la lucidité : un certain jacobinisme mythique est certes l'une des «clés» de Stendhal, mais aussi cette idée que si l'on a chemise et un cœur il faut vendre sa chemise pour aller vivre en Italie, et cette autre que l'Italien qui rêve et ne vit que pour la passion est infiniment plus intéressant que l'ouvrier anglais qui se vend inutilement pour un salaire et qui collabore au grand œuvre de l'«industrie». L'ambiguïté du capitalisme libéral a nourri, d'abord, cette pensée. Mais la découverte, au XXᵉ siècle, de l'autonomie du Pouvoir et de la technique par rapport à la morale et aux valeurs a montré qu'il ne s'agissait pas simplement d'un problème daté du XIXᵉ siècle et de son immaturité.

La lecture sociocritique est donc la lecture – avec tous les risques – des virtualités de l'HISTOIRE en devenir :

– processus et progrès porteurs de changements positifs (par exemple la Révolution française continue sous les résultats de la Révolution française) ;

– nouvelles impasses (les saint-simoniens disaient «nouveaux antagonismes» et Marx dira «nouvelles contradictions») ;

– fonction de l'écriture et de l'art comme lieux et comme moyens de découverte et d'expression de la sociohistoricité en tant que champ des problèmes récurrents et renouvelés du vivre et de la condition humaine. L'écriture et l'art récusent toutes les «mains invisibles» (celle du libéralisme d'abord, celle des révolutions ensuite) et leur opposent la main qui trace et combine les mots pour dire l'irréductibilité de la pensée, et de la conscience. L'écriture et l'art ne sont pas platement «le reflet du réel» (toujours supposé positif) mais «le réel du reflet» (toujours problématique). La formule d'Alain Badiou pose le problème de manière ouverte et ferme.

e. La sociocritique pose en fait *un problème théorique et pratique* dont on peut dire qu'il est fondamental et récurrent, mais aussi qu'il apparaît dans des éclairages différents selon les moments de l'Histoire. Le réel s'explique-t-il par une Nature, des structures, des fonctions, des races, des situations fondamentales et tout un socle vivant d'adaptation, de survie et de durée ? Ou bien par l'invention, le progrès, un dynamisme ascendant, la dialectique, la Nation, le Droit et le message et tout un dispositif de vie autre, d'ailleurs et d'autre chose ? L'utopie est-elle non pas régressive mais ancienne et pétrie d'*arkhé*, ou bien est-elle progressive et portée par des forces neuves et renouvelantes qui, de manière plus ou moins clairement articulées, produisent l'épure d'un futur et d'un avenir ?

Le long développement des forces productives et d'échange piloté par les bourgeoisies non nobles, non royales et laïques, mobilisant la grande idée de Travail et d'Energie, les gestionnaires habiles renforçant les inventeurs, tout cela a longtemps conféré la supériorité au second des deux langages et des deux analyses : des Lumières au marxisme, la sociocritique a ainsi cherché dans les textes et dans la culture les preuves et les traces d'une pertinence évolutive et prométhéenne de l'Histoire humaine. L'ambiguïté cependant des notions de Liberté, de Nature et de Droit disait que les choses n'étaient pas simples : parler de Liberté, Nature et Droit, Industrie (et aussi Raison), c'était à la fois proclamer des valeurs nouvelles et retrouver et désaliéner des valeurs plus ou moins abîmées et perdues sous des couches multiples d'usurpation. De même le fameux Contrat social était-il un ancien contrat à retrouver, un ancien pacte à renégocier, ou bien un contrat entièrement nouveau ? Toute Nature et toute raison entendaient parler pour de l'ancien, nié et méprisé, en même temps que pour de l'inédit. C'est la fameuse faille repérée chez Marx entre un homme aliéné, donc générique, à libérer de ses chaînes, et un homme insoupçonnable qui ne serait jamais que la somme et l'intersection des rapports matériels nouveaux à chaque moment de l'Histoire.

Or l'évolution de l'HISTOIRE moderne (la bourgeoisie révolutionnaire et philosophe exploitant puis à l'occasion massacrant les ouvriers ; le socialisme produisant du totalitarisme et manquant à son programme annoncé d'un Homme nouveau aussi bien que d'une économie miraculeuse) a fortement réactivé le débat. La linéarité progressive (Science, Raison, Liberté) a connu de graves difficultés à l'intérieur des sociétés qu'elle était supposée travailler de manière positive (crises du monde libéral et socialiste), en même temps qu'elle se révélait européano-centriste ou Nord-Centriste et alors que l'Orient comme le Sud refusaient de s'inscrire dans son modèle. Le retour du religieux, de l'ethnique et de tout un spécifique hors «Raison», la découverte des cultures et des civilisations étrangères à notre monde ont mis en cause la marche à l'unité, et fait apparaître des contradictions inattendues qui n'étaient pas nécessairement porteuses du vieux Progrès. Dans le domaine historiographique, de Toynbee à Foucauld, on a vu apparaître les notions de faille, de décrochage, de disparité, de cercles de civilisations qui s'ignorent. Le musée imaginaire a éclaté, et il s'est enrichi, mais l'idée d'universel progrès est malade, ce qui ne veut pas dire que l'humanité cesse d'être toujours, comme elle peut, au travail et en travail.

Dès lors, la sociocritique ne peut plus travailler dans l'ancienne optique des Lumières garanties par des gouvernements à instaurer. La nouvelle Histoire (celle des mentalités, celle du structurel profond et sub-politique, celle du temps long et de la «civilisation matérielle» [1]), n'est plus celle héritée du XIXe siècle, fils du XVIIIe «philosophe» mais aussi du capitalisme et de la technocratie. *Les bases historiographiques de la sociocritique ont changé.* Elle ne saurait donc plus être l'auxiliaire ou la servante d'une Histoire

---

[1]. Voir ici tout ce qui procède de Braudel.

dépassée. Si elle se veut toujours historique et sociale, il lui faut tenir compte de ce que l'historique et le social ne sont plus ce qu'ils étaient et, se tournant de nouveau vers la littérature, y découvrir et faire découvrir, une fois encore, des anticipations stupéfiantes mais pas les mêmes qu'au temps joli. L'*arkhé*, les structures profondes ne sont peut-être pas exaltantes. La femme romantique peut finir en cliente des réseaux de vente par correspondance, et le prolétaire chargé de mission en consommateur réformiste : où sont dès lors les annonces et les médiations d'autrefois ? Les mentalités font de la résistance, et ce qui se consolide dans l'HISTOIRE, ce sont toujours des *nomenklatura*.

La tendance serait donc non à l'obscurcissement mais à la complexification des problèmes : cela peut très bien partir de la lecture des textes littéraires, mais cela peut aussi faire retour sur celle lecture de manière qu'elle ne demeure pas l'un des derniers enclos d'un progressisme schématique aujourd'hui dépassé. D'où, peut-être, l'extrême pointe, aujourd'hui, de la réflexion.

Conclusion

Il en va finalement de la sociocritique comme de toute lecture touchant à notre implicite : nous ne sommes «naturellement» prêts à lire ni notre propre HISTOIRE ni notre propre socialité ni notre propre environnement affectif et moral, tout étant toujours bien gardé par des barrières de sécurisation, dont a besoin notamment l'école, à ses débuts, pour aider à la socialisation des enfants qu'elle prend en charge. Il est bien difficile, alors, de les aider à se faire une représentation critique de ce qui les entoure. La sociocritique pourrait donc être, dans le cursus de formation, le signe du passage à une autre époque : celle non plus de l'intégration d'un sujet fragile mais de son émancipation. C'est pourquoi, parmi les tâches possibles de la sociocritique peut figurer la lecture et l'analyse des textes et présentations scolaires avec leur discours d'escorte, l'objectif n'étant pas de se livrer au plaisir du jeu de massacre et de tomber dans un nihilisme paralysant mais d'apprendre à construire ses distances.

C'est alors que peuvent prendre leur importance des livres comme ceux de Denis de Rougemont et de Marthe Robert qui donnent à lire, à la fois, l'identité, l'amour, les relations parentales dans le cadre d'une historicité concrète. C'est alors aussi que les travaux de Philippe Ariès et de Michel Vovelle peuvent montrer que la vie et la mort ne sont pas des entités immobiles et que toutes les grandes relativités, existentielles comme historiques, se manifestent et finalement existent par l'invention de formes : le conte, par exemple, fonctionne bien selon un certain nombre de schémas (Propp), mais aussi évolue, par exemple en devenant fantastique et en ouvrant la porte des mystères du réel. On s'aperçoit alors que la petite fille allant au bois ou la femme de Barbe Bleue ou Cendrillon avec son soulier perdu, en disaient déjà un peu plus qu'on ne l'imaginait à la lecture des belles histoires de l'enfance.

La sociocritique, dès lors, relève d'une procédure d'*initiation* : ce ne sont pas seulement des textes qu'on apprend à lire autrement mais notre propre vie et notre propre rapport au monde. Celui qui pilote alors la lecture et l'interprétation se trouve investi d'une responsabilité grave et neuve qu'on ne saurait appeler autrement que *laïque*, c'est-à-dire libre vis-à-vis des tabous. Que le romantisme apparaisse comme lié aux premières crises des sociétés libérales et post-révolutionnaires constitue une introduction à la lecture de notre propre monde immédiat, et la lecture des textes est toujours une école de liberté et d'autonomie. Dans ce domaine, la tâche est infinie : on n'a jamais fini d'apprendre à être libre.

L'erreur serait de faire comme s'il existait quelques part une charte théorique (description et analyse du fonctionnement du réel) et pratique (politique à mettre en œuvre en conséquence) que l'on pourrait retrouver et vérifier dans les textes : par exemple, tout le monde aurait été «philosophe» saint-simonien ou marxiste sans le savoir. Dans ce cas, les textes ne seraient qu'annexes et suppléments, avec tout au plus un incertain pouvoir d'annonce. En fait, dans les textes se cherche et s'élabore de l'insoupçonnable et de l'insoupçonné qui relèvent de la responsabilité du scripteur mais qui ne prennent sens que par la lecture et par l'intervention du lecteur, sujet partiellement clairement social, partiellement obscur et indéchiffré : écriture et lecture, la littérature est fondamentalement interprétation, «ensignement» (Françoise Gaillard à propos de Flaubert) et lecture des signes.

*
* *

Si la sociocritique devait faire évaporer le texte et le réduire à n'être plus qu'une annexe et un supplément d'une autre instance de connaissance, elle serait une catastrophe intellectuelle. Elle serait alors nuisible et sans intérêt.

Mais si elle contribue à constituer le texte comme l'un des lieux où s'élabore la réaction de l'homme au réel et comme l'un des discours qu'il tient sur sa condition parmi les êtres, les choses et les événements, et probablement l'un des moins sujets à l'usure et à l'obsolescence, elle est une conquête décisive de la modernité.

Née chez ceux qui ont cru à l'Histoire mais qui en ont bientôt fait l'analyse et la critique, elle conserve une dimension militante, mais de manière quelque peu inattendue et non programmée. Elle dit certes que tout est historique, social et politique, et d'abord les textes, qui sont toujours d'un lieu et d'un moment. Mais elle dit aussi que ce lieu et ce moment sont toujours une terre inconnue, un ailleurs et une utopie : ce texte dont les Pouvoirs, et peut-être d'abord les plus «progressistes», n'ont jamais su trop bien quoi faire, ce qui est bien, peut-être, le fait sociocritique majeur.

BIBLIOGRAPHIE

I. Textes fondateurs

Germaine de Staël, *De la littérature,* (jamais réédité depuis le XIXe siècle).
De l'Allemagne, (Garnier-Flammarion).

Chateaubriand, *Génie du christianisme*, (Garnier-Flammarion, Pléïade).

Bonald, *Articles du Mercure de France*, parus sous l'Empire (recueillis dans Œuvres complètes, XIXe siècle).

II. Manifestes de la sociocritique

Littérature, société, idéologie, n° 1 de la revue Littérature, Larousse, 1972.

Sociocritique, (sous la direction de Claude Duchet), Paris, Nathan, 1979.

III. *Textes théoriques sur la relation société-littérature*

Pierre Barbéris, *Le Prince et le marchand*, Paris, Fayard, 1980.

Lucien Goldman, *Le Dieu caché*, Paris, Gallimard, 1956.
Matérialisme historique et création culturelle, Paris, Anthropos, 1971.

René Girard, *Mensonge romantique et vérité romanesque*, Paris, Grasset, 1961.

Georges Lukacs, *Théorie du Roman*, Paris, Denoël-Gonthier, 1963, (Collection «Médiations»).
Balzac et le réalisme français, Paris, Maspero, 1972.
Ecrits de Moscou, Paris, Editions sociales, 1974.

Marthe Robert, *Roman des origines et origines du roman*, Paris, Grasset, 1972.

IV. *Exemples de lectures sociocritiques*

Pierre Barbéris, *René, un nouveau roman*, Paris, Larousse, 1972.

Jacques Leenhard, *Lecture politique du roman «La Jalousie» d'Alain Robbe-Grillet*, Paris, Editions de Minuit, 1973.

Geneviève Mouillaud, *Stendhal «Le Rouge et le noir», le roman possible*, Paris, Larousse, 1973.

V. La critique textuelle

par Gisèle Valency

Introduction

L'émergence de la critique textuelle est liée au développement d'autres disciplines : l'ethnologie littéraire que les formalistes russes, étudiant les contes populaires, ont créée pour la recension et le classement du patrimoine, et la linguistique au centre, chez eux, de la notion de littérarité.

Pour cette critique, l'œuvre littéraire est d'abord et avant tout un système de signes. Les méthodes critiques récentes ont d'abord affirmé leur modernité par un «retour au texte» :

> «La critique n'a peut-être rien fait, ne peut rien faire tant qu'elle n'a pas décidé, avec tout ce que cette décision implique, de considérer toute œuvre, ou toute partie d'œuvre littéraire, d'abord comme texte, c'est-à-dire comme un tissu de figures, où le temps, (ou comme on dit, la vie) de l'écrivain écrivant et celle du lecteur lisant se nouent ensemble et se retordent dans le milieu paradoxal de la page et du volume.» (G. Genette, *Figures II*)

Or, tous les systèmes de signes, linguistiques ou non, (peinture, architecture), ont pour interprétant unique la langue. La langue est l'instrument de la description et de la découverte sémiologiques, comme le dit E. Benveniste, dans les *Problèmes de Linguistique Générale*.

La linguistique est réputée «science dure», plus proche à ce titre, que la littérature des modèles scientifiques dont les études littéraires ont désiré acquérir la rigueur. Mais, pour la linguistique elle-même, la science est un horizon, la visée d'un désir plus qu'un statut patent et vérifiable. Elle comporte d'ailleurs des orientations multiples, (sémiotique, sémantique, syntaxe, pragmatique, etc.), et leur implication dans le champ des études littéraires a encore multiplié les perspectives. On ne s'étonnera donc pas de l'enchevêtrement considérable des disciplines abordées par la critique textuelle.

Trois linguistes ont joué un rôle essentiel dans le développement des études textuelles :

Ferdinand de Saussure, pour qui la théorie du signe fonde les recherches sur le texte et sur la poésie comme structures et systèmes relativement autonomes. Son *Cours de Linguistique Générale* n'évoque pas la littérature mais jette les bases de la sémiologie.

A sa suite, Roman Jakobson, par ses études sur la phonologie et sur les fonctions du langage ouvre des recherches sur la poéticité et l'autonomie relative du littéraire.

Emile Benveniste, en inscrivant au centre de sa conception du langage, la notion de sujet, débouche sur l'interlocution, sur les genres définis par leur rapport au discours ; bref, il introduit à la fois à la poétique comparée et à la pragmatique de la lecture. Tous trois ont travaillé dans une perspective, appelée depuis, «structurale».

Les mises au point sur le structuralisme se sont succédées. Pour éviter l'inflation incontrôlable que le terme a subie, le mieux sans doute, est de rappeler l'objet du structuralisme tel que C. Lévi-Strauss l'avait défini : «l'objet des sciences structurales est ce qui offre un caractère de système». En 1968, *Qu'est-ce que le structuralisme*, ouvrage collectif, reconnaissait qu'une vue d'ensemble semblait déjà une vue de l'esprit. Mais puisque la linguistique saussurienne suscite une façon nouvelle de poser le problème dans les sciences qui traitent du signe, c'est de là qu'il faut partir pour comprendre les méthodes et les enjeux des études textuelles.

La notion de structure chez F. de Saussure

Saussure n'a jamais employé ce mot, si souvent invoqué pour se réclamer de ses recherches. La notion essentielle pour lui est celle de «système». La langue forme un «système» : «La langue est un système qui ne connaît que son ordre propre». Le terme «structuralisme» apparaît plus tard dans les travaux du Cercle Linguistique de Prague comme l'ensemble des méthodes qui découlent de la conception de la langue comme système, justifié par les principes posés par Saussure : «C'est du tout solidaire qu'il faut partir pour obtenir, par analyse, les éléments qu'il renferme».

Dans la théorie saussurienne, le signe est arbitraire, c'est-à-dire qu'il n'y a pas de lien nécessaire entre le signifiant (l'image acoustique) et le signifié (le découpage du signifiant, et ce à quoi il renvoie). Or, si le signifiant est déterminé, le signifié, lui, ne renvoie pas à un objet du monde : il ne réfère pas, il introduit des virtualités de sens et de référence.

Tout part, en effet, de la linéarité du signifiant, liée à la structure même du langage humain : nous ne prononçons qu'un son à la fois et «la chaîne parlée» est constituée de l'enchaînement de ces sonorités distinctes. Mais comment distinguer deux sons différents de deux articulations différentes d'un même son ? (quand le (b), par exemple, est articulé par un marseillais et par un strasbourgeois ?). C'est ici qu'apparaît le concept fondamental pour toutes les études formelles à venir, c'est de ce problème, si éloigné en apparence des études littéraires, qu'est née la forme moderne du concept de structure.

La distinction entre deux phénomènes s'opère sur le critère de la dissimilation : à la différence d'une variante articulatoire, deux phonèmes différents permettent de distinguer deux mots différents ; par exemple «pan» et «ban» ; «tenture» et «denture». Il en résulte que le phonème n'a pas une définition positive, mais uniquement différentielle, oppositionnelle. Il est fait appel, ici, à un système englobant – le mot – pour mettre en évidence les unités du système englobé – les phonèmes –.

Pour Saussure, le phonème est le plus petit élément de la chaîne parlée ; mais il s'agit pour lui d'une entité abstraite qui recouvre les variantes articulatoires des prononciations différentes, et aussi celles qui sont liées à la place d'un phonème dans la séquence (problèmes de phonologie) ; il fait remarquer que le phonème (p) n'existe pas dans le langage qui ne connaît que des (p) implosifs (après voyelle) et des (p) explosifs (avant voyelle). Cette précision n'est pas seulement descriptive ; elle permet de constituer le système en s'appuyant sur des unités qui, en tant que telles, ne sont jamais réalisées dans le langage. C'est la coupure théorique qui fonde le structuralisme : coupure entre le modèle, toujours abstrait, et les réalisations, toujours concrètes.

Après Saussure, les discours critiques ont été animés, traversés et constitués, pourrait-on dire, par le débat sur le structuralisme et sur ses incidences littéraires.

Du côté des opposants, voici, schématiquement résumés, quelques arguments :

– Le structuralisme, prétend analyser l'œuvre sans se préoccuper des intentions de l'auteur. La littérature, œuvre individuelle, doit être étudiée en relation avec la vie de l'auteur et les mœurs de son temps. En réponse, la critique textuelle a reproché aux tenants de cet argument de considérer l'œuvre comme un prétexte plus que comme un texte.

– En s'attachant à la structure des œuvres, on n'en fait apparaître que ce qu'elles ont entre elles de commun, ignorant ce qui les distingue et surtout ce qui distingue un chef-d'œuvre d'une œuvre médiocre.

– Ou la description de l'œuvre par le structuralisme est triviale (on trouve ce que n'importe qui, à la simple lecture, aurait pu constater), ou arbitraire, à force d'extrapolations et de généralisations.

Il faut se souvenir du contexte historique dans lequel la critique textuelle s'est affirmée, pour comprendre pourquoi les travaux des chercheurs, à l'époque reconnue depuis comme celle de l'apogée du structuralisme, s'entourent, à quelques exceptions près, d'une polémique défensive, discours de justification caractéristique du débat d'alors, et qui tranche avec le bilan qu'on peut proposer vingt ans après.

De toute manière, les prédécesseurs reconnus avaient déjà formulé des mises en garde : les propositions du Cercle de Moscou dans les années 1920-25 étonnent encore aujourd'hui, à la relecture, par le caractère toujours actif des questions posées.

Les formalistes russes et la définition de la critique textuelle

Leur premier recueil est dû à Ossip Brik, pour qui il s'agit de «promouvoir la linguistique et la poétique». L'aspect linguistique de la poésie est souligné : «C'est le langage de la poésie qui (s'y) prêtait le mieux (…) parce que (…) les lois structurales et l'aspect créateur du langage se trouvaient dans le discours poétique, plus à portée de l'observateur que dans la parole quotidienne.» (R. Jakobson, *Théorie de la Littérature*)

Le terme «formalisme» lui-même a été lancé par ceux qui voulaient dénigrer ces tentatives et «stigmatiser toute analyse de la fonction poétique du langage». Pourtant, «la recherche progressive des lois internes de l'art poétique», ne prétend pas rayer «... les rapports de cet art avec les autres secteurs de la culture et de la réalité sociale» (ouv. cité). C'est, dorénavant, sur ce malentendu orchestré que les «formalistes» auront toujours à se justifier ou à se défendre.

Pour les formalistes russes, la «série littéraire» (opposée à la «série historique») a une certaine autonomie : c'est l'héritage de formes et de normes culturelles variées qui vont de la construction narrative aux diverses façons d'envisager la métrique. Cette autonomie permet de penser la littérarité :

«Ce qui nous caractérise, écrivait B. Eikhenbaum, dans «La théorie de la méthode formelle», c'est le désir de créer une science littéraire autonome à partir des qualités intrinsèques des matériaux littéraires (...) Nous posions, et nous posons encore comme affirmation fondamentale, que l'objet de la science littéraire doit être l'étude des particularités spécifiques des objets littéraires les distinguant de toute autre matière, (...) R. Jakobson, dans "La poésie moderne russe", donna à cette idée sa formule définitive : «L'objet de la science littéraire n'est pas la littérature mais la «littérarité» («literaturnost»), c'est-à-dire ce qui fait d'une œuvre donnée une œuvre littéraire».

Cette recherche des qualités intrinsèques délimite son objet par distinction avec des disciplines apparentées en invoquant une série d'arguments constamment repris dans les études qui se réclament du texte :

– *D'abord la stylistique* : le renvoi à la norme ne permet pas d'évaluer un style car la norme n'est pas véritablement connue : «pour établir les rapports existants entre les éléments linguistiques aussi bien qu'entre leurs fonctions dans le style d'un écrivain d'autrefois, nous devons connaître les normes générales d'emploi de tel ou tel mot à l'époque correspondante et connaître la fréquence d'emploi des différents schémas syntaxiques», ce qui suppose «des recherches philologiques de longue durée. Bien sûr,

dans ce cas, il apparaît inévitablement une schématisation...»
(V. Vinogradov, *Les Tâches de la Stylistique*).

C'est pour une raison similaire que la perspective stylistique est
envisagée marginalement dans les études textuelles. La stylistique
pose une norme, un standard virtuellement réalisé par le langage
ordinaire, et y oppose les écarts du «style». Cette conception est
contraire à l'idée que le texte est central. La poétique comparée se
sert d'analyses stylistiques, mais elle les resitue dans un système.
Le terme de critique textuelle même n'est employé qu'avec réti-
cence, les recherches présentées ici se tenant à l'écart de ce qu'on
entend généralement par «critique», où prime le dialogue auteur/
critique.

– *Puis l'histoire est mise à l'écart* : l'argument répète une
réflexion ancienne :

> «Un milieu (historique) disparaît, tandis que la fonction litté-
> raire qu'il a engendrée reste, non seulement comme un survivance,
> mais comme un procédé gardant toute sa signification hors de son
> rapport avec ce milieu». (R. Eikhenbaum)

C'est ainsi qu'on lit Homère.

– *Enfin, en rejetant la psychologie et l'idée du primat de
l'image, les théories de la réception du texte artistique s'appuient
sur la structuration* ; ces théories que l'on a, par la suite, opposées
aux formalismes n'ont pu être formulées que parce que les théories
formelles, rejetant déjà un mysticisme de l'art, au fond assez facile,
avaient libéré le champ de ces recherches.

Parmi les principes recherchés pour la littérarité, les formalistes
ont travaillé sur la répétition, l'accent, en tant que procédés de
construction narrative. Chlovski formule la différence entre le
«sujet» comme construction, et la «fable» comme matériau. Il
montre, à la fin de son étude sur *Tristram Shandy* de Sterne, que
la construction même du roman est accentuée : «la conscience de
la forme obtenue grâce à sa déformation constitue le fond même
du roman». Puis il élargit la réflexion :

> «On confond souvent la notion de sujet avec la description des
> événements, avec ce que je propose d'appeler conventionnelle-
> ment la fable. En fait, la fable n'est qu'un matériau servant à la
> formulation du sujet. Ainsi, le sujet d'*Eugène Onéguine* n'est pas
> le roman du héros avec Tatiana, mais l'élaboration de cette fable
> dans un sujet, réalisée à l'aide de digressions intercalaires... Les
> formes artistiques s'expliquent par leur nécessité esthétique, et

non pas par une motivation extérieure empruntée à la vie pratique. Quand l'artiste ralentit l'action du roman, non pas en introduisant des rivaux, mais en déplaçant simplement des chapitres, il nous montre ainsi les lois esthétiques sur lesquelles reposent les deux procédés de composition».

Trois orientations sont issues des recherches formalistes :

– Les études du récit, tirées de l'ethnologie littéraire et de la sémiotique.

– La tentative de spécifier les problèmes de l'écriture poétique par le signe linguistique.

– Les études narratologiques, liées à la poétique comparée, à la rhétorique.

1. L'analyse structurale des récits

V. *Propp et la Morphologie du conte*

La narratologie contemporaine, mais surtout l'analyse structurale des récits, ont été très influencées par les recherches de V. Propp sur le conte merveilleux : de tradition orale, l'expression folklorique est soumise à des lois qui fixent l'ordre du récit. Le conte merveilleux se situe entre le mythe et la poésie épique, formes et contenus se développant ensemble. Aussi, le projet formaliste de la *Morphologie du Conte* ne s'oppose pas aux perspectives historiques. Au contraire, dans cette «histoire longue», l'analyse structurale permettra, en décomposant un conte selon ses parties constitutives, d'établir des comparaisons justifiées. Contrairement à la tradition folkloriste, Propp ne confond pas les objets de l'étude avec les «contenus», les données narratives étudiées. Le sujet du conte lui-même, ou les motifs qu'il inclut, ne fournissent pas les invariants du conte populaire, ces données sont trop ambiguës pour lui. Les invariants se trouvent dans l'organisation des actions qui en composent le récit. L'action se distingue en séquences narratives ; elles représentent les fonctions successives où les personnages sont impliqués (éloignement, interdiction, transgression de l'interdit, réception d'un objet magique, retour, etc.) Propp répertorie trente et une fonctions principales. Les personnages qui les assument peuvent endosser plusieurs rôles.

C'est la fonction qui détermine la pertinence du découpage des actions. Ainsi tel épisode a pour fonction «éloignement», tel autre, «mariage» ou «reconnaissance». Rapporté à la suite des fonctions narratives et à la liste des rôles, chaque conte réalise certains d'entre eux sans les exécuter tous ; c'est en cela que le principe est structural. Toutes les fonctions n'apparaissent pas dans un conte, mais même alors, celles qui se manifestent (les fonctions «activées») respectent l'ordre global des fonctions répertoriées. Les contes deviennent les variantes d'un système sous-jacent à structure oppositive (interdit/transgression) qui scande, en quelque sorte, la progression de la narration. Propp a été critiqué pour avoir «négligé la forme au bénéfice du contenu». Mais, en réalité, c'est une «forme du contenu» qu'il met en évidence en posant la succession syntagmatique des fonctions, et surtout en rapportant l'ensemble des contes à un modèle sous-jacent jamais réalisé. La structure, fondée sur les concepts de système et de pertinence, se sépare clairement de l'usage galvaudé qui veut que l'on nomme «structure du texte» ce qui en est le plan.

A.-J. Greimas : le récit et la sémiotique

Les recherches de Greimas sur la narration se fondent sur la reprise critique des travaux de Propp tout en les inscrivant dans une perspective strictement sémiotique et structurale : le texte est un donné empirique. Le sémioticien, en analyste, étudiera «l'organisation syntagmatique des significations», donc, la segmentation et l'organisation narratives ; Pour étudier les «discours narratifs», Greimas a élaboré une «sémantique fondamentale» et une «grammaire fondamentale». Deux niveaux distincts apparaissent dans la représentation sémiotique : les «représentations sémantiques» qui sont assurées au niveau logico-sémantique (le transcodage des significations), et une «grammaire narrative» qui appartient au niveau discursif. Les rôles, ou «unités actancielles élémentaires», (actant : adjuvant/opposant) manifestent «en surface» des catégories sémiques binaires sous-jacentes. Les actants assument des fonctions déterminées dans des structures binaires et oppositives.

> «… Le jeu narratif se joue non pas à deux, mais à trois niveaux distincts : les rôles, unités actancielles élémentaires, correspondant aux champs fonctionnels cohérents entrent dans la composition de deux sortes d'unités plus larges : les acteurs, unités du

discours, [le texte matériel] et les actants, unités du récit [l'histoire racontée]». (A.-J. Greimas, *Du Sens*)

2. Théorie du texte poétique : le versant poétique du structuralisme

A partir d'un principe linguistique, R. Jakobson a créé la «poétique». En traversant sans arrêt les frontières où était censé se tenir un poéticien, «il a uni les formes les plus vivantes de la littérature» (R. Barthes) : la polysémie, les substitutions et leur système, les études sur la pathologie du langage et le code des figures (métaphore et métonymie), les recherches sur la phonologie et les études poétiques.

La fonction poétique

«De nombreux traits poétiques relèvent non seulement de la science du langage, mais de l'ensemble de la théorie des signes, autrement dit de la sémiologie». (R. Jakobson, «linguistique et poétique», *Essais de linguistique générale*).

La poétique fait partie de la linguistique : «le langage doit être étudié dans toute la variété de ses fonctions». Conformément aux propos d'O. Brik, la poétique n'est pas simplement le domaine où s'«appliqueraient» les théories linguistiques ; la poésie «est une sorte de langage». Cette solidarité apparaît dans la présentation de R. Jakobson, où la fonction poétique est une des six fonctions attachées aux facteurs qui constituent la communication. Le texte tire ses caractères propres de leur hiérarchisation et non du monopole de l'une d'entre elles.

La fonction poétique «concerne l'accent mis sur le message pour son propre compte». Quel est l'élément dont la présence est indispensable dans toute œuvre poétique ? Pour répondre à cette question, Jakobson rappelle le principe des deux axes exposé par Saussure : l'axe des simultanéités ou axe de la sélection, et l'axe des successivités ou axe de la combinaison, qu'il renomme axe paradigmatique et axe syntagmatique : alors que les relations syntagmatiques sont des données observables de la phrase, les relations paradigmatiques se situent comme virtualités sur l'axe de la sélection.

«Soit "enfant" le thème d'un message : le locuteur fait un choix (sélection) parmi une série de noms existants, plus ou moins semblables, tels que enfant, gosse, mioche... ; ensuite pour commenter ce thème, il fait choix d'un des verbes sémantiquement apparentés – dort, sommeille, repose, somnole. Les deux mots choisis se combinent dans la chaîne parlée».

La sélection est produite sur la base de l'équivalence, de la similarité et de la dissimilarité, de la synonymie et de l'antonymie, tandis que la combinaison repose sur la contiguïté. Or, «la fonction poétique projette le principe d'équivalence de l'axe de la sélection sur l'axe de la combinaison». L'équivalence est promue au rang de «procédé constitutif de la séquence».

Lorsque Jakobson dit que la fonction poétique projette le principe d'équivalence de l'axe de la sélection sur celui de la combinaison, il ne signifie pas que l'axe est projeté, ce qui n'aurait guère de sens, mais que le principe d'équivalence, qui régit la sélection, gouverne alors l'axe des combinaisons, et confère à cet axe la plurivocité qui caractérise le texte, quand la fonction poétique domine.

Le modèle phonématique

Pour la poétique, le signe linguistique, sa linéarité, son arbitraire, sa motivation, sont de grande conséquence et ne vont pas sans paradoxe.

■ Le signifiant et le phonème

De la linéarité du signifiant, Saussure tirait le principe selon lequel le phonème, plus petit élément de la chaîne parlée, est le seul qui ne participe pas des deux axes, (axes des associations et axe des successivités) mais seulement du second : «Le signifiant étant de nature auditive se déroule dans le temps seul... son étendue est mesurable dans une seule dimension : c'est une ligne». (*Cours de Linguistique Générale*). Jakobson, suivant la phonologie de Troubetskoï, revient sur le principe de la linéarité du signifiant (*Six leçons sur le son et le sens*) : «Le phonème se décompose en unités distinctives», ou traits (c'est un faisceau de traits comme sourd/sonore, nasal/oral, etc.). C'est donc une unité complexe : «ce n'est pas le phonème, mais chacune de ses propriétés distinctives qui est une entité irréductible et purement oppositive». Comme tout signe linguistique, le phonème, plus petite unité du signifiant, dispose alors de deux axes complémentaires, l'axe des simultanéités et l'axe de successivités. C'est le plus petit élément dont ait à s'occuper la poétique qui, sans cet apport, ne pouvait aborder le son que sous l'angle subjectif des impressions. La démarche de R. Jakobson, est déterminante par sa clarté et sa rigueur. Elle théorise le lien entre linguistique et poétique, et c'est le modèle phonématique qui sert de support à la fonction poétique.

Hormis cette conséquence théorique et le principe méthodologique qui en découle, (recherche de l'élément pertinent pour le système), les propriétés qui caractérisent le signe, arbitraire du signe, linéarité du signifiant, sont aussi de grande conséquence ; la critique poétique à vocation textuelle, vocation antérieure aux travaux de Saussure puisque déjà très clairement exprimée dans les textes de Mallarmé et de Valéry, travaille au rapport entre la motivation et l'arbitraire du signe. La poétique prend acte de l'arbitraire du signe et de linéarité du signifiant en posant la nécessité de la motivation du signe et de l'éclatement de la relation du signifiant et du signifié. Le principe général de l'arbitraire se trouve contredit par différents systèmes évoquant la motivation de la relation signifiant-signifié. Ce qui revient, en fait, à motiver le signifiant. Le propos a semblé d'autant plus légitime que l'on a publié les carnets de Saussure consacrés aux anagrammes.

■ *Les anagrammes de Saussure et le signe en poésie*

Jean Starobinski, en publiant «Les deux Saussure», mettait en évidence, longtemps après la publication du *cours de Linguistique Générale*, un versant jusqu'alors ignoré des recherches du linguiste. Alors qu'il avait fondé la linguistique sur l'arbitraire du signe, et donc sur le caractère fortuit du rapport signifiant/signifié, Saussure étrangement, travaillait à une sorte de motivation, celle des enchaînements, dans un texte dédié à Aphrodite, où le nom de la déesse revenait, disséminé dans des suites phoniques avec une grande persistance.

Ce n'est pas seulement l'arbitraire du signe qui est remis en cause par l'apparence d'une motivation occultée. C'est aussi, croit-on, la linéarité du signifiant ; car si le nom d'Aphrodite apparaît dans des séquences linéaires à peu près ordonnées, c'est, semble-t-il, à un autre niveau du texte, par l'extraction de séquences paragrammatiques.

La publication des cahiers d'anagrammes, en pleine apogée du mouvement structuraliste, a déclenché une réflexion sur le «débordement du signifiant», sur «l'excès du signe», dont l'objet était un décentrement qui libérerait le signe poétique. La critique a voulu tirer toutes les conséquences, sur sa discipline, du matérialisme qui accompagnait les études structurales, matérialisme représenté ici par le «matériau acoustique». Les analyses structurales du récit, elles-mêmes fondées sur des découpages «de la matière du contenu», étaient l'objet de critiques au moins aussi vives que celles encourues par la stylistique. Les travaux de Julia Kristeva, et des groupes «Change», «Tel Quel», expriment ces préoccupations. Dans *Sémiôtikê*, J. Kristeva propose une «lecture tabulaire» des textes : (il s'agit de déceler, dispersés dans le texte, des phonèmes dont l'assemblage constitue le mot-thème. Ces recherches s'appuient sur la psychanalyse, l'apparition du mot occulté traduisant, si l'on peut dire, «un retour du refoulé». Les «anagrammes» de Saussure sont en fait des paragrammes.

Tout en stimulant la recherche poétique sur le signe, la publication des carnets de Saussure entraînait certaines confusions : pour Saussure, si le signe est motivé, c'est *a posteriori*, du fait de l'association continue et irréversible d'un signifiant et d'un signifié ; il est arbitraire au départ, à quelques exceptions marginales près (onomatopées, etc.). Le découpage du signifiant, le long de la chaîne parlée, est imposé par le découpage du signifié. L'autonomie du signifiant, invoquée par les poéticiens, ne peut donc apparaître dans le fil de la théorie saussurienne, contrairement aux revendications suscitées par la fascination des anagrammes ; car même dans sa version anagrammatique, c'est toujours la séquence qui prime chez Saussure. C'est la théorie phonématique de Jakobson, établissant l'homogénéité structurale du signe et du phonème, la constitution du phonème comme faisceau de traits distinctifs, son appartenance aux deux axes de la sélection et de la combinaison, qui assure à la plus petite unité du signifiant l'autonomie sans laquelle l'idée de remotivation ne peut se formuler.

Les surdéterminations : théorie et exemples

La question de la surdétermination est inséparable des deux axes proposés par Jakobson. Elle suppose en effet une rupture de la linéarité. C'est une notion centrale en poésie. Au nom du texte poétique, «unique en son genre», M. Riffaterre rejette l'autorité sans partage de la linguistique. Seule la «littérarité» l'intéresse. Il s'écarte de la stylistique classique en proposant d'identifier le style au texte (et non à l'homme). «Le style, c'est le texte même». Ses analyses formelles cherchent à cerner l'unicité du phénomène littéraire qui n'est pas restreint au texte, mais comprend aussi le lecteur et l'ensemble de ses réactions possibles. Car le texte est «un code limitatif et prescriptif».

D'où les notions essentielles d'engendrement et de surdétermination. La surdétermination vaut aussi bien pour la constitution du texte, où ce qui est déjà écrit constitue un ensemble de contraintes pour ce qui est à écrire, que pour la lecture du texte. La lecture établie sur un «code», par exemple thématique, on dira qu'un autre code la «surdétermine» en ce sens qu'il exerce des contraintes et la réoriente en fonction du jeu des autres codes impliqués. La question de la référence au monde réel est secondaire : l'efficacité de la mimésis poétique n'a rien à voir avec l'adéquation des signes aux choses. «La connaissance de la réalité est une condition illusoire de notre compréhension des mots», car le message comporte tous les éléments nécessaires à son interprétation. (M. Riffaterre, *La production du texte*)

■ *Surdétermination par association et métonymie*

Voici comment M. Riffaterre commente un poème en prose de J. Gracq :

> «Les rapports formels entre mots l'emportent si complètement sur le rapport des mots aux choses qu'il arrive que la dérivation verbale annule la donnée initiale. … Dans «Paysage», rêverie au soleil couchant dans une grande nécropole parisienne, le narrateur, évoquant l'accumulation de chapelles funéraires aux styles hétéroclites poursuit : "il n'était pas défendu, sans doute, de fourrager dans l'imprévu de ces curieuses poubelles". Il n'y a pas de poubelles dans le cimetière, (…) mais dans la description, le mot représente le fourre-tout architectural, le pêle-mêle des monuments. Dérivé de l'abstrait "imprévu", il en est le synonyme métaphorique (…) Or la chaîne associative continue d'engendrer : "on s'étonnait même de l'absence frétillante, autour des boîtes à ordures, du caniche matinal". Véritable déraillement par rapport au réel tel qu'il nous est décrit, puisque deux fois déjà le poème a indiqué que la promenade a lieu au crépuscule (…) Mais c'est que le caniche n'est matinal que parce que le matin est l'heure, par

excellence, des poubelles (…) le caniche confirme 'poubelle' métonymiquement…» (*ouv. cité*)

■ *Surdétermination du signifié par le signifiant*

Dans «Le dormeur du val» d'A. Rimbaud, le discours repose sur une ambiguïté ou une méprise portant sur l'état du dormeur qui est un mort. Or, le titre note lui-même cette ambiguïté dans le terme employé pour évoquer le soldat : «dor/meur». Dans ce cas, la matière phonique donne à entendre ce qu'il n'est pas encore possible de comprendre du fait de la suprématie du signifié (encore que cette présentation la reconnaisse, de fait). Par la projection des virtualités de l'axe de la sélection sur l'axe de la combinaison, le signifiant surdétermine le signifié. Ce qui est à sélectionner dans l'alternative sommeil/mort, se combine.

Utile et décapante pendant un temps, cette démarche court cependant le risque de devenir mécanique, et encourt une critique assez facile : un petit nombre de phonèmes permettant de produire un très grand nombre d'unités lexicales, quel est la part due au hasard, quelle est celle de l'écriture, dans la trouvaille du lecteur ? Et dans celle, presque toujours infraconsciente, du poète ? Il serait vain de s'étendre sur ce sujet ; les moyens informatiques de dépouillement des textes permettent déjà d'entrevoir des réponses à la première partie de la question.

■ *Surdétermination par l'intertextualité*

Dans ce sonnet extrait d'«Autres Chimères», de G. de Nerval, le locuteur justifie son «lignage» par trois surdéterminations. Le premier quatrain est une citation stricte d'un poème de Du Bartas (qui était dédié à Henri IV) :

> «Ce roc voûté par art, chef d'œuvre d'un autre âge,
> Ce roc de Tarascon hébergeait autrefois
> Les géants descendus des montagnes de Foix
> Dont tant d'os excessifs rendent sûr témoignage.»
> Dans le second quatrain, le locuteur apostrophe Du Bartas :
> «O Seigneur Du Bartas ! je suis de ton lignage
> Moi qui soude mon vers à ton vers d'autrefois :
> Mais les vrais descendants des vieux Comtes de Foix
> Ont besoin de témoins pour parler dans notre âge»

On voit que :

– le lignage s'affirme littéralement dans le discours du locuteur.

– l'imitation des séquences phoniques du premier quatrain dans le second confirme le lignage. Le signifiant, ici encore, surdétermine le signifié selon un mode de rappel (il faut connaître le texte de Du Bartas pour apprécier l'intertextualité, «le lignage», et c'est pourquoi le premier quatrain assure la citation).

– le rappel, qui va jusqu'au calque phonique strict «d'un autre âge» «dans notre âge», souligne l'antonymie (les deux expressions ont des significations opposées). Le calque, lui-même, surdétermine l'idée de lignage. En redoublant et prolongeant cette écriture d'«autrefois», le locuteur, lui aussi, rend un «sûr témoignage».

■ *Surdétermination du figuré par le littéral : la lettre et l'esprit*

Ici, le contenu (signifié) et le référent (relation au monde) se dissolvent au seul profit de la lettre. L'exemple cité est extrait des *Langages de Jarry* de M. Arrivé, une des premières études à avoir montré le fonctionnement textuel de l'ironie. A partir de l'expression figée, «autant faire traverser une aiguille à un chameau», Jarry évoque un accident de train, une erreur «d'aiguillage».

> «Dans les antiquités vénérables, il paraît qu'un chameau traversait cette minuscule chose de métal – avec difficulté d'ailleurs, la tradition, en sa bonne foi, ne nous l'a point dissimulé. Nous prions de s'abstenir les correspondants charitables qui désireraient nous informer de la «vraie» signification architecturale, géographique, de l'aiguille. Nous nous en tenons, avec raison, à la lettre de l'histoire, car il n'y a que la lettre qui soit littérature».

La figure figée est ici transformée parodiquement un un énoncé «sérieux». Cette parodie met en évidence (comme chez Voltaire et chez Montesquieu) certains aspects des discours théologiques et de leurs rationalisations successives.

■ *Débats : contre la clôture du texte*

La surdétermination suppose la clôture du système, sans laquelle l'exploration des codes est impossible. La clôture est loin, pourtant, de faire l'unanimité. Elle est combattue très diversement dans des travaux importants.

Dans *Pour la Poétique*, et récemment dans *Etats de la Poétique*, H. Meschonnic défend avec véhémence «le rythme contre le schéma», «le mouvement de la parole et de la vie» contre «le modèle statique du dualisme». R. Jakobson est visé à travers le structuralisme ; H. Meschonnic lui reproche d'avoir remplacé la poésie par «la fonction poétique» :

> «Soigneusement, Jakobson sépare fonction poétique et poésie. C'est que sa définition est uniquement syntagmatique, rhétorique, statique (...) Appliquée dans sa rigueur elle méconnaît que la poésie est faite autant de symboles que de signes (...) Où est la différence entre "I like Ike" (exemple de Jakobson) et de la poésie ?» (*Pour la Poétique*, t. I).

La fin du chapitre déjà cité de R. Jakobson répond à cette critique : «La superposition de la similarité sur la contiguïté confère à la poésie son essence de part en part symbolique, complexe, polysémique, essence que suggère si heureusement la formule de Goethe, "tout ce qui passe n'est que symbole" («Linguistique et Poétique»).

C'est aussi au nom de la poésie vivante contre le structuralisme mort que J. Cohen rejette la clôture, dangereuse, du texte. «A l'horizon de la poétique structurale s'élève le spectre redoutable de la machine...». Dans *Structure du Langage poétique* le projet de J. Cohen était déjà de rompre la clôture en renvoyant le style à un écart. Il établit une systématique des figures de la rhétorique présentées comme «moyens» de l'écriture poétique.

> «La rhétorique des figures viole les deux principes sacrés de l'esthétique littéraire actuellement répandue. L'unicité de l'œuvre d'une part, son unité ou sa totalité de l'autre. En faisant des figures des sortes d'universaux linguistiques transposables d'un poème ou d'un poète à l'autre, elle nie ce qui fait la spécificité de l'art littéraire, (...) son individualité essentielle (...) En prélevant d'autre part des segments du discours, (...) on nie cette unité totale, cette compacité sans fissures qui fait de l'œuvre une totalité close sur elle-même.» («Théorie de la figure» dans *Sémantique de la poésie*, dir. T. Todorov)

3. Le texte pluriel

Déplacement de la rhétorique

La rhétorique, qui était une théorie de la communication, est devenue aujourd'hui une théorie de la littérature, une poétique. L'esthétique et la critique sont nées au XIXe siècle de l'ancienne rhétorique. La fin du siècle avait été marquée par la disparition de la rhétorique. La fin du siècle avait été marquée par la disparition de la rhétorique au profit de l'histoire littéraire, la seconde moitié du XXe siècle l'est par son renouveau. En France, il se manifeste d'abord en poétique (au sens esthétique plutôt qu'au sens aristotélicien d'art de l'argumentation). Historiquement, c'est la troisième articulation de la rhétorique, *elocutio*, qui a fini par en occuper le champ entier, *inventio* et *dispositio* assurant le fond dont *elocutio* devient la forme. Les trois articulations de la rhétorique antique et classique rejoignent alors la dichotomie stylistique. La rhétorique devient l'analyse réglée et développée des possibilités expressives ouvertes par les tropes, les figures du discours. Elle ne peut plus, dès lors, rendre compte de l'organisation scripturale du texte, étant vouée par sa méthode à en transgresser constamment les limites.

Dans cette perspective la stylistique est rejetée au nom du texte et de son système. La poéticiens refusent de s'en tenir au rapport restreint établi par la stylistique entre la pensée et son expression où la seconde est toujours au service de la première. C'est donc pour le texte, que la poétique, discipline fédératrice, est fondée. Cette exigence aboutit, chez G. Genette et chez R. Barthes, à la réactivation du sens dans la forme.

■ *La forme-sens*

G. Genette fait une synthèse de la poétique comparée des recherches structurales et des questions liées à l'énonciation dans des études qui s'appuient sur les travaux d'E. Benveniste et de Léo Spitzer. Dans ses *Etudes de Style*, ce dernier met l'accent sur le sujet du discours comme tel, et non rapporté à la biographie et à l'histoire. G. Genette fonde ses recherches sur la rhétorique en la distinguant de la poétique. Interrogeant l'historicité de la critique, de ses classements, il pose la question : «Qu'est-ce qu'une critique vraiment actuelle ?», et invite à rendre justice au formalisme russe contre les caricatures de ses détracteurs : «le "formalisme" ne consistera pas à privilégier les formes aux dépens du sens, – ce qui ne veut rien dire – mais à considérer le sens lui-même comme forme imprimée dans la continuité du réel (…) Ici ce qui importe, c'est le rôle de la forme dans le "travail du sens". Ce formalisme «s'opposerait tout autant (…) à une critique qui ramènerait l'expression à sa seule substance, phonique, graphique, ou autre. Ce qu'il recherche de préférence, ce sont les thèmes-formes, ces

structures à deux faces (…) ce que la tradition appelle un style».
Le style est une technique et une vision. «Ce n'est ni "un pur
sentiment" qui s'exprimerait comme il pourrait, ni une façon de
parler qui n'exprimerait rien». (*Figures II*).

■ *Place de R. Barthes*

R. Barthes a eu un rôle primordial dans la prise de conscience
du texte et de l'écriture. Entre la rhétorique, inventaire de formes
disponibles, et le style, où l'individu met en jeu sa subjectivité, il
y a l'écriture qui est acte de liberté. L'écriture libre revient à ses
origines : «je puis sans doute me choisir aujourd'hui telle ou telle
écriture, et dans ce geste affirmer ma liberté», mais la liberté est
seulement dans «le geste du choix» et non «dans sa durée (où je
deviens) peu à peu, prisonnier des mots d'autrui et même de mes
propres mots» : «L'écriture est ce compromis entre une liberté et
un souvenir» (*Le degré zéro de l'écriture*). Le geste affirme l'unité
du corps et de l'écriture comme le geste producteur du haïku (très
court poème japonais). Concevoir l'itinéraire barthien comme une
évolution du structuralisme au plaisir des mots semble en partie
erroné. Il a toujours et vivement revendiqué «le plaisir du texte»,
pour lui-même et pour soi-même, hors des règles dictées par la
tradition. Pour R. Barthes, le territoire de la littérature s'est en effet
déplacé, l'analyse structurale des pièces de Racine est possible. Le
«plaisir du texte» est connaissance du texte libéré des commentaires séculaires. S'il s'oppose à la lecture psychologisante, impres-
sionniste du dialogue auteur/lecteur, c'est que le plaisir est déjà
«du texte» et n'implique pas la relation intersubjective, et en ce
sens fictive, entre auteur et lecteur. Si lire c'est désirer l'œuvre, son
appropriation est toujours déceptive. L'œuvre est essentiellement
plurivoque.

La fonction métalinguistique, empruntée à Jakobson devient
alors la fonction la plus importante. Dans la communication, la
fonction métalinguistique sert à vérifier de part et d'autre, un usage
concordant du code ; elle est centrée sur le message : «Que voulez-
vous dire ?» «j'entends par là que…» sont des expressions où le
langage se prend lui même pour objet ; elle rendent compte de
l'activité permanente de reformulation du langage ordinaire. Mais
cette fonction permet d'aborder l'œuvre littéraire selon différents
niveaux d'analyse et de montrer que chacun d'entre eux surdétermine les autres, en réoriente les effets. Sans S/Z, de R. Barthes,

le code métalinguistique mime dans le texte l'activité de commentaire et d'éclaircissement qui est celle de la critique et peut-être de la lecture. Ce code joue avec, mais aussi contre, le code herméneutique qui est celui de l'intrigue, du «fil narratif». Pour R. Barthes, le code métalinguistique, par l'espacement qu'il introduit, permet de mettre en évidence le dialogue, le commentaire au sein d'un discours apparemment uniforme et ce sont là des dimensions inséparables de l'ambiguïté constitutive des sujets de la parole.

La connotation

L'un des termes les plus débattus de la critique textuelle est sans doute celui de «connotation», alors que curieusement, son complémentaire «dénotation», n'a pas, semble-t-il, provoqué les mêmes réticences. C'est pourquoi il semble important de situer ici ce mot qui est devenu, un temps, l'emblème de la bataille entre la «nouvelle critique» et la critique «non située» La connotation désigne couramment un ensemble de significations, secondes par rapport à un «sens premier» stable, qui est celui de la dénotation. La définition de L. Hjelmslev explique mieux le processus connotatif dans le texte. Pour lui, on distingue les langages de dénotation où les deux plans de l'expression et du contenu sont solidaires, où aucun ne constitue un langage autonome et les langages de connotation (comme le discours littéraire) où le plan de l'expression est à lui seul un langage.

La connotation a joué un rôle stratégique dans le développement des études textuelles, car, tout en respectant l'ordre linéaire du texte, elle permettait de le confronter à une autre organisation des significations. Elle s'articule aux concepts d'«intertextualité», et de «productivité».

Pour J. Kristeva, le texte littéraire est «une productivité» ; celle-ci s'appuie sur l'intertextualité : le texte n'est pas une structure close et il produit virtuellement les règles de transformations de sa propre écriture (J. Kristeva, «la productivité dite texte»). Ouvert sur «le texte historique et social», le processus intertextuel appartient à la fois aux «langages de référence» (relations au monde) et aux «langages de connotation», «métalangages», (relations aux textes). Une réserve a été émise : l'assimilation de l'histoire ou de la société à un texte n'a jamais reçu de définition autre que métaphorique.

■ *Le contexte social et la connotation*

T. Todorov, dans *Littérature et Signification*, propose une définition de la connotation directement dépendante de la réflexion à peu près contemporaine, sur «l'intertextualité». J. Kristeva et T. Todorov en empruntaient le concept transformé, à M. Bakhtine.

Les deux concepts sont liés par l'idée de la circulation du sens, d'un texte à l'autre, d'une œuvre à l'autre. Cette idée, très chère aux écrivains, et depuis longtemps, trouve ici son application systématique par l'assimilation à un texte du «contexte» historique et social de l'œuvre. Ici, T. Todorov souligne le caractère conventionnel de la connotation :

> «On parlera de connotation chaque fois qu'un objet est chargé d'une fonction autre que sa fonction initiale (…) ainsi, l'esprit français est la connotation du bifteck-pommes frites (…) cette signification secondaire n'est pas arbitraire (…) dans toute société (…) Les objets forment un système significatif, une langue (où) apparaît la connotation. C'est pourquoi les membres de cette société peuvent s'y référer sans donner d'explication». (Larousse, 1968).

C'est la connotation à l'œuvre dans *Système de la mode*, ou dans *Mythologies* de R. Barthes, mais dans ces livres les faits sociaux et les œuvres littéraires ne sont pas reliés dans une même série. Si elle a le mérite de la clarté, cette définition ne permet pas de distinguer ce qui constituerait le caractère proprement littéraire de la connotation ; rien ici ne distingue le fait connotatif d'autres systèmes d'indiciation sociale.

■ *La connotation et la dissémination*

Dans *S/Z*, R. Barthes feint le débat en mettant face à face deux sortes d'arguments contre la connotation : ceux qui considèrent que «tout texte est univoque, et qui renvoient les sens simultanés au néant des élucubrations critiques» et ceux qui, au contraire, «rejettent la hiérarchie du dénoté et du connoté», refusant de «faire de la dénotation l'origine et le barème de tous les sens associés». Contre ces deux tendances extrêmes, R. Barthes défend la connotation, «… voie d'accès à la polysémie du texte» :

«C'est une détermination, une relation, une anaphore, un trait qui a le pouvoir de se rapporter à des mentions antérieures ultérieures ou extérieures à d'autres lieux du texte ou d'un autre texte : il ne faut restreindre en rien cette relation qui peut être nommée diversement (fonction ou indice par exemple» ...

«La dénotation n'est pas le premier des sens mais elle feint de l'être ; sous cette illusion, elle n'est, finalement que la dernière des connotations, le mythe supérieur grâce auquel le texte feint de retourner à la nature du langage, au langage comme nature».

En fondant le dénotatif sur le principe d'une nécessaire distinction d'avec le connotatif, R. Barthes maintient l'espacement constitutif du langage, et assure la plurivocité du texte. La superposition des sens dénoté et connoté offre un principe de découpage pour l'analyse textuelle : aucune grammaire, aucun dictionnaire en effet ne saurait rendre compte du sens qui n'existe que dans la pluralité ; le texte est tissu des voix qui le composent, aucune ne se rapporte à un auteur-sujet.

4. Théories du texte issues des problématiques de l'énonciation

Avec l'apparition des théories énonciatives, l'attention s'est portée sur le discours de l'œuvre et sur ses rapports avec la lecture. Deux démarches liées apparaissent alors : avec la question de la communication littéraire, c'est la délimitation externe de l'œuvre qu'on tente d'établir. Elle est liée à la «voix» dans le texte. Le report de l'univers de fiction sur e monde pratique fait apparaître leurs distinctions radicales (J. R. Searle). Une autre clôture apparaît : l'objet littéraire se détermine à l'aide de conventions de lecture, et de pactes narratifs.

Jakobson avait posé la littérarité contre le rapport histoire/texte. Elle se construit contre les définitions externes où la littérature est désignée comme institution : la littérature, c'est «ce qui se lit», fait l'objet de prix littéraires, possède ses circuits de distribution propres etc. Si une telle définition peut satisfaire un sociologue qui se préoccupe des dispositifs sociaux de transmission culturelle, c'est, pour la critique, l'aveu d'un échec : échec d'une définition de la littérarité comme ensemble de propriétés appartenant en propre aux œuvres littéraires à l'exclusion de toute autre sorte de discours.

■ *La littérature et les pactes narratifs*

Cependant, situer la littérature parmi les institutions sociales fait apparaître sa spécificité, car les discours hétérogènes (judiciaires, médicaux) accueillis dans l'œuvre changent de statut du fait de leur insertion. La spécificité de l'œuvre apparaît en effet dans sa «dépragmatisation» : même quand, formellement, ils ne se distinguent pas du langage ordinaire, les énoncés de la fiction n'ont pas de visée pratique immédiate (au sens où une décision de justice, une ordonnance de médecin en ont une). Le lecteur sait qu'il ne doit pas établir de relation de référence entre les énoncés du récit et l'univers pratique, c'est le «pacte narratif». Selon J.R. Searle, la communication littéraire d'une œuvre de fiction passe par le schéma locuteur (auteur) / récepteur (lecteur), avec la prescription suivante : le lecteur doit considérer l'œuvre de fiction comme un ensemble d'«assertions simulées» ou «prétentions d'assertions» (Sens et Expression). Le lecteur «suspend» l'application des règles de référence : il met entre parenthèses ce qu'il sait du «vrai» dans le monde pratique, à l'aide d'une consigne lui enjoignant d'identifier la fiction et d'adopter le comportement adéquat. Mais comment le lecteur oppose-t-il les romans «réalistes», noirs, fantastiques, les récits à fonction apologétique, etc. ?

Il faut reformuler cette conception pour rendre compte des problèmes posés par la communication de fictions. Parmi toutes ces assertions simulées qui représentent un discours de fiction, quel critère distingue celles qui sont, par convention narrative, «vraies» comme le roman «réaliste», des «fausses» comme le récit merveilleux par exemple ? Chaque type ou forme d'œuvre délimite son propre régime de référence. Le lecteur ne «suspend» pas purement et simplement les règles de la référence, essentielles pour lui à la distinction des genres ; il simule, ou mime, leur application ; il modifie sa conduite de lecteur en fonction des «règles du jeu» que propose, implicitement, chaque œuvre. Les différentes sortes de pactes liés aux genres littéraires sont fondés sur cette distinction. P. Lejeune a, par exemple, étudié «le pacte autobiographique». Les pactes narratifs sont donc variables et peuvent être décrits comme des «injonctions de lecture» liés à l'insertion d'informations d'ordre contextuel (U. Eco).

Mais ces pactes supposent une communication entre auteur et lecteur que seule l'œuvre assure. Comment l'œuvre permet-elle la communication littéraire ? Cette question a un préalable : comment opère la communication dans l'œuvre elle-même ?

■ *L'énonciation dans le texte*

A la suite des études d'E. Benveniste sur l'histoire et le discours, les processus de l'interlocution dans le texte sont interrogés et reliés au genre par G. Genette qui met en évidence la voix narrative, tandis qu'O. Ducrot insiste sur le locuteur.

C'est moins sur la notion de système que sur la mimésis que les études textuelles prennent alors leurs appuis. Au lieu d'affirmer haut et fort les liens, maintenant acquis, de la littérature et de la linguistique, cette dernière sert à reformuler des questions déjà centrales depuis longtemps. Le récit objectif/subjectif assure son statut à l'aide d'études de syntaxe. Le style indirect libre, que Ch. Bally qualifiait de «discours hybride», est redéfini comme polyphonie avec des critères syntaxiques précis et qui manquaient jusque-là.

Les théories du texte issues de la problématique énonciative sont bien trop nombreuses pour qu'on puisse seulement les évoquer ici. On a donc choisi de souligner celles où le texte est le lieu, l'objet aussi, d'un écart.

L'accent porté sur le texte entraîne la mise à l'écart de l'auteur et s'accompagne d'une analyse systématique de la place du (des) locuteur(s) dans le texte, inspirée d'abord par les travaux d'E. Benveniste.

Discours, récit : la déixis

Selon Benveniste, les oppositions des temps de l'indicatif s'articulent à celles qui organisent les personnes verbales. L'ensemble constitue deux systèmes, dont la complémentarité continue à fonder nombre de distinctions opérées par les études textuelles.

Le système des temps de l'indicatif en français est apparemment redondant : plusieurs temps signalent le passé. E. Benveniste a montré l'existence de deux systèmes : «le récit historique», où personne ne parle, et «le discours» déterminé par contraste, et organisé autour de la sphère personnelle. Certaines formes sont spécifiques : (passé simple, troisième personne du récit historique, présent, passé composé, futur, première et deuxième personne du discours) ; d'autres formes appartiennent aux deux systèmes : essentiellement l'imparfait dont le caractère est transitionnel. Les travaux sur cette question sont nombreux. Il est conseillé de s'y reporter avec cette réserve : l'opposition du récit et du discours, issue de la conjonction de plusieurs phénomènes linguistiques, ne peut, sans risque, être identifiée à partir d'un seul d'entre eux. Le «il», par exemple, ne s'assimile à «la non-personne», qu'hors de la corrélation de subjectivité où se situe la sphère personnelle ; la personne «verbale» est définie par sa place dans l'interlocution.

> «En effet, une caractéristique des personnes "je" et "tu" est leur unicité spécifique : le "je" qui énonce, le "tu" auquel "je" s'adresse, sont chaque fois uniques. Mais "il" peut être une infinité de sujets – ou aucun. C'est pourquoi le "je est un autre" de Rimbaud fournit l'expression typique de ce qui est proprement l'"aliénation mentale" où le moi est dépossédé de son identité constitutive.
>
> Une seconde caractéristique est que "je" et "tu" sont inversibles : celui que "je" définis par "tu" se pense et peut s'inverser en "je", et "je" (moi) devient un "tu". Aucune relation pareille n'est possible entre l'une de ces deux personnes et "il" puisque "il" en soi ne désigne spécifiquement rien ni personne. Enfin on doit prendre conscience de cette particularité que la "troisième personne" est la seule par laquelle une chose est prédiquée verbalement.» (E. Benveniste, ouv. cité)

■ *La personne dans le texte : le décentrement du "il"*

Ces études autorisent le soulignement chez R. Barthes, et chez G. Genette, des oppositions de "il" et de "je". Du caractère «existentiel» de cette opposition chez R. Barthes, (parler de soi à la troisième personne est un mode de vie), on passe à une théorisation des formes littéraires appuyée à ce clivage chez G. Genette.

G. Genette (*Figures II*), définit le génie de Flaubert, comme «cette absence de sujet, cet exercice du langage décentré» que décrit M. Blanchot à propos de l'expérience de Kafka.

> «Kafka dit avoir découvert qu'il est entré dans la littérature, le jour où il a pu substituer le "il" au "je". «Le sujet, dit G. Genette, n'est ici qu'un symbole peut-être trop clair dont on trouverait une version plus sourde et apparemment inverse dans la façon dont Proust renonce au "il" trop bien centré de *Jean Santeuil* pour le "je" plus équivoque de La Recherche, "je" d'un narrateur qui n'est positivement ni l'auteur, ni qui que ce soit d'autre».

Et R. Barthes, dans ce qui pourrait être le discours de son autobiographie, (*Barthes*, coll. des Ecrivains de Toujours) explique l'emploi de la troisième personne comme l'effet d'un «décollement». «Tout ceci, écrit-il, doit être considéré comme dit par un personnage de roman» et il ajoute : «je parle de moi à la façon de l'acteur brechtien qui doit "distancier" son personnage : le "montrer" et non l'"incarner"… (Brecht recommandait à l'acteur de penser tout son rôle à la troisième personne)».

■ *Formes d'antériorité : temps et chronologie*

Les formes composées des verbes sont tantôt des formes temporelles, dénotant directement le passé, tantôt des formes d'antériorité, établissant un lien chronologique par rapport à un repère temporel verbal. La forme d'antériorité est une forme relationnelle et non-temporelle : «La preuve que la forme d'antériorité ne porte aucune référence au temps, c'est qu'elle doit s'appuyer sur une forme temporelle libre dont elle adopte la structure formelle pour s'établir au même niveau et remplir ainsi sa fonction propre». (E. Benveniste, ouv. cité). Exemple : Alors que le passé simple et le passé composé sont tous deux des «temps du passé», la cohésion exige : «Quand il a écrit une lettre, il l'envoie», et non «il l'envoya». Un procès peut être présenté selon l'aspect accompli/ ou non accompli. Tout en se distinguant des formes temporelles et des formes d'antériorité, les oppositions aspectuelles multiplient les possibilités de l'organisation du récit.

L'attention doit être attirée sur la distinction, importante pour l'analyse textuelle du récit, entre formes d'antériorité et formes temporelles. Dans la fiction en particulier, la référence temporelle (la datation par exemple), a beaucoup moins d'importance que la relation chronologique des événements rapportés.

■ *Les marqueurs de chronologie et le repérage du récit*

L'analyse textuelle s'appuie sur des marqueurs locatifs, temporels, et de chronologie pour situer l'origine d'une description, d'un récit d'événements. Par exemple : «ici», «là-bas», «plus loin», etc. Le point de vue est évidemment essentiel pour les marqueurs locatifs ; la question s'articule à la partition proposée par Benveniste et longuement développée depuis (G. Genette, ouv. cités). Exemple : «ici», «là-bas»/«A cet endroit», «plus loin». Le terme de proximité sera «ici» si le texte est orienté par un point de vue particulier et subjectif, (on dit aussi que «ici» est un déictique, il appartient au système des désignations opérées à l'aide d'un repère subjectif). Dans le cas inverse, le système du récit, où le point de vue personnel ne peut être assumé qu'à travers le récit objectif, anonyme, il n'y a pas de sujet pour assumer la relation de proximité. Dans «à cet endroit», le repérage n'a pas l'origine subjective qui caractérise le discours, il se fait par référence à des éléments déjà mentionnés, assignation impossible dans le cadre de la phrase, mais parfaitement réalisable dans celui du texte.

De même, «la veille» et «le lendemain» appartiennent à la sphère non discursive, leur référence virtuelle n'est pas déterminée par le sujet d'une énonciation mais à l'aide d'un repère «événementiel», (virtuellement narratif), que celui-ci soit au futur ou au passé. Exemple : «Le lendemain de leur mariage, on fera (on a fait) encore la fête». On y opposera les repères déictiques qui sont des expressions dont le référent ne peut être déterminé que par rapport aux interlocuteurs : «je/tu», «ici», «maintenant». En français, la déixis constitue un ensemble structuré qui permet de déterminer directement la sphère du discours par rapport à l'histoire. D'autre part, l'opposition singulatif/itératif au lieu de l'émiettement indéfini des occurrences, (exemple : «un jour», «un matin de février»/ «parfois», «souvent») permet d'articuler les temps verbaux à la temporalité propre au récit et en tire des conséquences sur les genres narratifs (cf. G. Genette, Fig*ures, III*).

L'ordre du texte

La critique textuelle travaille à une réorientation de la rhétorique dans sa propre perspective. S'appuyant sur la grammaire, les études formelles ont longtemps considéré la phrase comme la limite ultime de l'analyse. De là vient l'habitude de travailler plutôt sur le lexique, que sur l'organisation syntaxique de l'information et de la signification, organisation qui excède presque toujours les limites de la phrase. La stylistique est conduite à privilégier dans sa recherche sur les procédés d'écriture, ceux pour lesquels elle dispose d'un instrument éprouvé à travers les grammaires de phrase. On considère comme irréductibles au discours scientifique les mécanismes littéraires qui dépassent le cadre de la phrase.

Les «grammaires de texte» (dont le développement est loin d'être complet) permettent de systématiser des phénomènes d'organisation textuelle (cf. D. Slakta, «L'ordre du texte»)

■ *Anaphore rhétorique et anaphore grammaticale*

Un exemple permet de cerner la double mobilisation de la rhétorique : L'anaphore consiste à répéter un mot au début des vers, des phrases. Elle est justifiée par toute espèce d'insistance.

Par exemple : «Rome unique objet de mon ressentiment, Rome à qui vient ton bras…» (Corneille, *Horace*). Elle apparaît alors comme le signe d'un sentiment dont seule la répétition réussit à épuiser l'expression. En syntaxe, l'anaphore désigne l'emploi de «il» et des autres pronoms non-déictiques ; ils peuvent renvoyer à des éléments déjà mentionnés dans le texte (alors que la cataphore anticipe sur leur mention). Les deux caractéristiques de «il» : l'absence à la sphère du discours et la capacité de prédiquer des choses, en font un objet de grand intérêt pour l'étude de la cohésion des textes. En posant que le texte à la troisième personne est une suite ininterrompue de pronoms (R. Harweg), on fait apparaître un aspect fondamental de la cohésion textuelle qui est la répétition.

L'opposition avec «je», pronom déictique, autoréférentiel, détermine des effets importants dans le texte littéraire ; il s'organise à partir du sujet, dans la sphère du discours. Ce ne sont pas alors, à proprement parler, l'anaphore ou la cataphore qui assurent (comme dans le cas de «il») la cohésion du texte, puisque à tout moment celui qui dit «je» organise le donné selon son point de vue propre qui est le repère essentiel. Deux genres littéraires aussi différents que l'autobiographie et le récit à la troisième personne peuvent être décrits sous cet angle.

■ *Chronologie et voix narratives*

G. Genette, en soulignant la distinction entre ordre du texte et ordre du récit met en lumière l'activité narratrice dans *La Recherche du temps perdu* de M. Proust. (*Figures III*). L'ordre du texte est déterminé par l'activité du narrateur, les événements qui font l'objet du récit y sont disposés selon un point de vue. D'où les anticipations et les retours en arrière, prolepses et analepses, termes rhétoriques «réactivés» et modifiés pour servir à l'analyse du récit comme texte.

L'analepse narrative désigne toute évocation après coup d'un événement antérieur au point de l'histoire où l'on se trouve. Elle suppose la «voix narrative».

Par exemple, dans *Sylvie* de G. de Nerval, l'histoire racontée et la narration de cette histoire constituent deux plans ; du fait de l'enchâssement de séquences se rapportant à des époques antérieures, (analepses), une troisième dimension apparaît à la lecture : c'est l'analogie racontée, (objet de récit) qui précisément a suscité l'analepse. Le système itératif de la narration souligne le caractère cyclique de l'histoire. C'est sur lui que repose en partie l'analyse de G. Poulet sur *Sylvie* (dans *Les Métamorphoses du Cercle*). Il y a identité entre le processus narratif qui s'appuie sur l'itération, l'analepse et la scansion, par le récit, de l'analogie et de la répétition. Ici recherches textuelles et thématiques s'articulent.

Il en est de même pour la prolepse. En rhétorique, elle désigne l'emploi d'une épithète décrivant un état antérieur ou postérieur à celui de l'énoncé.

Par exemple : «O Ciel, quoi ? je serais ce bienheureux coupable ?» dit Xipharès à Monime dans *Mithridate* de J. Racine. En syntaxe, c'est un procédé qui consiste à isoler un terme au début d'une phrase par une pause et à la reprendre au moyen d'un pronom : «A Lyon, je n'y passerai pas cette fois-ci». La prolepse temporelle consiste en une anticipation où le narrateur évoque un moment postérieur à celui qui fait l'objet de sa présente énonciation. G. Genette constate qu'elle s'accommode mal avec la nécessité de la découverte conjointe, par le narrateur et le lecteur, de l'histoire dans la fiction traditionnelle. En opposant deux genres déterminés hors de la fiction traditionnelle. En opposant deux genres déterminés hors de la fiction, par l'emploi de la première personne, journal et autobiographie, on y comprendra le rôle divergent de la prolepse.

Si un genre, en effet, est supposé suivre l'événement, c'est bien le journal ; d'où le léger reproche formulé par G. Blin au *Journal* de Stendhal qui souffre, selon lui, d'être trop concerté car il tend à l'interprétation des événements à partir de causes postérieures à ces mêmes événements : «Ce présent, mis trop tôt de côté, reçoit sa marque du segment inédit d'une courbe qu'un journal ne devrait engendrer qu'en l'ignorant» (G. Blin, *Stendhal et les problèmes de la personnalité*)

En revanche, du fait de son caractère forcément rétrospectif, le récit à la première personne se prête davantage à l'anticipation que la fiction traditionnelle d'un narrateur supposé découvrir l'histoire à mesure qu'il la raconte. On notera ici le caractère proleptique de l'autobiographie stendhalienne. Le récit rétrospectif confirme le sentiment de G. Blin à propos du *Journal*. "Bien des années après, j'ai vu le mécanisme de ce qui se passa alors dans mon cœur et, faute d'un meilleur mot, je l'ai appelé «cristallisation» (Stendhal, Vie de Henri Brûlard).

Les voix narratives

Pour M. Bakhtine, l'œuvre est déjà dialogue et s'établit d'abord comme dialogue interne. «Tout énoncé est conçu en fonction de l'auditeur» … mais «les discours les plus intimes sont, eux aussi, de part en part, dialogiques : ils sont traversés par les évaluations d'un auditeur virtuel, d'un auditoire potentiel…» L'interlocution préfigure le dialogue auteur/lecteur. (M. Bakhtine «La structure de l'énoncé» dans T. Todorov, *M. Bakhtine, le principe dialogique*).

■ La polyphonie

La polyphonie n'a pas de spécificité littéraire ; O. Ducrot pose que sa théorie de l'énonciation doit faire abstraction de la communication, la source et la cible ne faisant pas partie du message. Dans «Jean m'a dit : je viendrais demain», les deux marques de première personne renvoient à deux êtres différents. L'énoncé unique présente deux locuteurs. Il s'agit de contester et, si possible, de remplacer un postulat «qui est le préalable à toute la linguistique moderne, celui de l'unicité du sujet parlant». «Les recherches sur le langage considèrent comme allant de soi (…) que chaque énoncé possède un et un seul auteur» (*Le Dire et le Dit*). Alors que les marques d'énonciation imputent un énoncé à un seul locuteur, cette énonciation peut en comporter une autre, attribuable à un autre locuteur.

Ch. Bally (dans *Linguistique Générale et Linguistique Française*), oppose, dans l'énoncé, le modus et le dictum. Soit : «je crois (modus) que la terre tourne (dictum)». Cependant, le sujet du modus, ou sujet modal, n'est pas toujours le sujet parlant. Exemple : «mon mari a décidé (modus) que je le trompe (dictum)». Si Ch. Bally n'oppose pas ces deux sortes d'exemples, c'est selon O. Ducrot (*Structure, Logique, Enonciation*), parce que le sujet parlant lui-même doit être considéré sous le double aspect de sujet modal et de sujet parlant : «Il faut prendre garde de confondre pensée personnelle et pensée communiquée» (Ch. Bally, ouv. cité). En effet, on ne communique pas «sa» pensée mais «une» pensée ; la théorie saussurienne du signe implique, à travers la liberté de choisir des signes, celle de choisir une pensée ; «Le trésor de phrases mis à notre disposition par la langue est en même temps une galerie de masques (...) permettant de jouer une multitude de personnages différents – et même si le personnage choisi est conforme à la pensée "réelle", c'est encore un personnage». (O. Ducrot, ouv. cité)». Le même énoncé peut être le support de plusieurs modus «... sinon comment rendre compte du vers des "Animaux malades de la peste" : "Sa peccadille fut jugée un cas pendable"». L'écart entre «peccadille» et «cas pendable conduit à poser deux sujets modaux : les animaux pour qui le cas est "pendable", le locuteur pour qui c'est «peccadille». L'énoncé polyphonique manifeste une «théâtralisation de la parole» qui comporte une pluralité de voix. Cette possibilité de dédoublement est utilisée pour faire connaître un propos qu'un locuteur est supposé avoir tenu, mais aussi, et peut-être surtout, pour produire un écho imitatif. Le dialogue hypothétique que Bakhtine considère comme le modèle canonique de l'énoncé fait partie de ce système. Exemple : «Si quelqu'un me disait... je lui répondrais...».

C'est ce jeu qui permet, chez Molière, la mise en place d'un théâtre dans le théâtre. O. Ducrot cite *Amphitryon*, mais on peut aussi noter cette réplique parfaitement polyphonique et dialogique de Sganarelle dans *Don Juan* : «Monsieur, j'avoue que vous m'étonnez. A peine sommes-nous échappés d'un péril de mort, qu'au lieu de rendre grâce au ciel de la pitié qu'il a daigné prendre de nous, ... Paix ! coquin que vous êtes ; vous ne savez pas ce que vous dites et Monsieur sait ce qu'il fait. Allons». (*Don Juan*, acte II, scène 2). Le sens même de l'énoncé attribuerait l'énonciation à deux locuteurs distincts alors que du point de vue empirique, l'énonciation est l'œuvre d'un seul sujet parlant, mais l'image qu'en donne l'énoncé est celle d'un échange, d'une hiérarchie de paroles. Le locuteur second, pour O. Ducrot est une fiction alors que le sujet parlant (ici Sganarelle) est un élément de l'expérience. Rien ne prouve d'ailleurs, que Sganarelle répète mot pour mot un discours qui lui a été tenu dans des circonstances analogues, mais il fait entendre la parole sur laquelle il informe. Sganarelle, mime un discours virtuel où son statut de valet est posé comme équivalent de «coquin» ; cette partie de l'énoncé ne peut lui être assignée qu'en tant qu'énonciateur, alors qu'il assume pleinement, comme locuteur, la première partie.

Le principe est si important dans *Don Juan* qu'il aboutit à une théâtralisation de l'absurde. Lors de rencontre avec Don Carlos, Don Juan désirant échapper à la vengeance de celui-ci, évite de se faire reconnaître et se désigne lui-même à la troisième personne : «Je suis si attaché à Don Juan qu'il ne saurait se battre sans que je me batte aussi» (Acte III sc. IV). La polysémie d'«attaché» permet d'entretenir un malentendu fondé sur l'opposition du sens littéral et du sens figuré. Par ailleurs, l'ambiguïté de l'énoncé pose d'avance la présence du spectateur, lui assigne une place dans la communication, car il est seul susceptible d'apprécier cette ambivalence, (de comprendre que l'énoncé a deux interprétations), d'entendre complètement ce que Don Carlos ne saisit qu'à moitié.

■ *Le style indirect libre*

Cas particulier de la polyphonie, le style indirect libre fait entendre dans la voix du narrateur, les échos d'une autre voix. Mais même quand elles sont disjointes, le discours semble à la fois rapporté et cité. Pour J. Peytard, le roman est comme une «vaste simulation» où l'écriture romanesque se donne pour fonction de "simuler" la cohésion inhérente à tout acte de communication». La «fracture» inhérente à l'écriture romanesque «s'établit entre le verbal et le non-verbal dans l'œuvre. Un facteur important de cohésion est alors l'intégration du verbal au non-verbal ; toute apparence de théâtralité étant effacée par l'inclusion du verbal dans le non-verbal : "Pommard voulait lui offrir une cigarette, il cherchait dans sa poche tout en tremblotant, ma fille me les aura encore enlevées disait-il, elle ne veut pas que je fume de quoi je me mêle" (*Clope*, R. Pinget)». Le style indirect libre «illustre cette recherche d'uniformité simulatrice» (J. Peytard, *Syntagmes*). L'ambiguïté qui le fonde peut être schématiquement décrite par la phrase : «Paul disait qu'il viendrait demain», où la référence de «demain» est ambiguë : doit-elle être assignée à Paul ou au locuteur ?

M. Bakhtine a remarqué que les genres littéraires qui relèvent de la fiction et le style indirect libre, se développent conjointement. Le style indirect libre est lié à la mimésis et à l'ensemble des activités mimétiques : dans le discours ordinaire, la mimésis ne peut opérer efficacement que dans la caricature où elle joue sur la reconnaissance du discours cité-mimé. Le lecteur, ou l'auditeur, doit reconnaître les traits spécifiques mis en évidence par la mimésis, l'enjeu ludique de cette prise de conscience est souvent très important, qu'il soit satirique, esthétique ou politique.

La littérature n'ayant pas de visée essentiellement pratique, le sort du style indirect libre y est encore plus directement lié à la mimésis, car un univers de référence se met en place grâce à lui. En effet, pour qu'un personnage soit identifié à travers des énoncés au style indirect libre, il faut qu'il ait déjà «pris corps» ; il faut, autrement dit, que son discours, ses gestes, soient parvenus à le constituer aux yeux des lecteurs comme personne, (avec un tempérament sanguin ou flegmatique ; Balzac avait, sur ce sujet, des idées très précises). C'est pourquoi il n'y a jamais de style indirect libre au début des romans «classiques» ; le lecteur doit en savoir assez sur le personnage dont le discours est rapporté au style indirect libre pour identifier sa parole rapportée ; tel mot doit susciter la reconnaissance comme lorsque dans la communication ordinaire tel propos rapporté paraît «ressembler» ou ne pas «ressembler» à son auteur supposé ; l'enjeu important étant l'appréciation que le lecteur porte, à travers ce processus d'assignation, sur sa propre perspicacité de lecteur. Une expression du style indirect libre suppose de la part de l'instance narratrice une analyse de discours implicite et l'exige du lecteur. Stendhal aide un peu ce dernier en soulignant d'italiques le propos rapporté : «M. Grandet était un demi-sot, lourd, et assez instruit, qui chaque soir suait sang et eau pendant une heure *pour se tenir au courant de notre littérature.*» (*Lucien Leuwen*). Le mode d'apparition du style indirect libre dans un discours littéraire, trace les limites du genre. Dans la littérature dite «de la subjectivité», où le personnage et son point de vue dominent, le style indirect libre peut apparaître dès le début du texte, avant que le lecteur virtuel ait pu se familiariser avec les idiosyncrasies (modes d'expression spécifiques) des personnages ; il le fait au cours de la lecture et sans préparatifs, d'où le mode d'accès assez «élitaire» de cette littérature. (J. Austen, V. Woolf, P.J. Jouve, N. Sarraute, etc.).

Si le style indirect libre semble se rattacher spécialement à la fiction (et lui donner un corps, une voix), c'est sans doute parce que la fiction est le mode d'accueil privilégié des pensées et des discours rapportés mimétiquement. Les verbes introducteurs de discours sont souvent postposés ou effacés. Ce trait peut être interprété comme un marqueur de discours fictionnel : il signale, d'ailleurs, que celui qui parle transfère sa responsabilité à l'individu cité. Effet de distance qui est commun dans le discours naturel.

On revient ainsi à la réflexion de R. Barthes : le texte est tissu de voix. En théâtralisant la parole, en soulignant sa spécificité, le style indirect libre la donne à reconnaître dans son unicité (et sa banalité). Aux codes narratifs de la progression des intrigues, de l'histoire, qui constitue le fond de l'analyse structurale des récits, se superpose, sans l'annuler, le code plus problématique à déchiffrer des «voix» dans l'œuvre, où s'impose plus nettement la place du lecteur.

Pour un bilan

Les études textuelles font parfois l'objet de réserves de deux ordres : d'abord un reproche «empirique» qui estime que l'analyse structurale des récits est de faible rendement : il arrive que le déploiement important des moyens aboutisse à des représentations «attendues» ; mais toute recherche peut tomber sous le coup d'un tel reproche. C'est ensuite une critique épistémologique qui se demande si le découpage des unités narratives, l'établissement des constituants, ne sont pas donnés par un préalable, par une représentation *a priori* de l'objet littéraire. La structure serait alors, d'une certaine manière, projection du sujet. Pour J. Starobinski, les structures sont le produit d'une visée, d'une «conscience structurante» :

> «Si désireux que nous fussions de nous en tenir aux seuls caractères linguistiques du texte, nous ne pouvons nous dégager de l'inventaire total, qu'à la condition de «diéser» notre question, de l'orienter dans une direction déterminée. Chaque approche détermine une perspective ; elle aura *pour effet de changer la configuration du tout*».

J. Starobinski dégage une sorte d'«éthique» du structuralisme :

> «Le structuralisme s'oppose à la conviction fort répandue qui veut que l'esprit du temps soit marqué par l'incohérence, l'ab-

surde… et suppose, de la part de l'observateur, un pari en faveur du sens, une option pour l'intelligibilité. Le structuralisme est une réfutation de la facile dramaturgie de l'absurde». (*Diogène*, n° 3)

Mais en même temps, dans les «miroitements du sens» (R. Barthes), la «dissémination» (J. Derrida), la conception positive de la littérarité se défait. Le texte clos avait suscité la question : «Quels sont les éléments qui appartiennent à la littérature et à elle seule ?». Répondre d'une manière générale est impossible, (conformément d'ailleurs au principe structural selon lequel les faits de système n'ont de définition que différentielle). Il fallait apprendre à penser comme intrinsèque au signifiant «la dérobade de tout centre et le recul constant de l'origine» (F. Wahl). L'idée que la littérarité n'est pas une propriété fixe mais un ensemble de phénomènes qui comprend aussi le lecteur et l'ensemble des virtualités de lecture apparaît peu à peu. Dans ce jeu guidé, programmé par le texte, l'écriture et la lecture en actes ont leur part : «Ce qui entraîne à tout le moins que la question essentielle n'est plus, aujourd'hui celle de l'écrivain et de l'œuvre, mais celle de l'écriture et de la lecture et qu'il nous faut, par conséquent définir un nouvel espace (…) où ces deux phénomènes pourraient être compris comme réciproques». (P. Sollers, *Le Roman et l'expérience des limites*).

BIBLIOGRAPHIE

Arrivé M., *Les langages de Jarry*, Essai de sémiotique littéraire, Paris, Klincksieck, 1972. Les analyses sont précédées d'une mise au point méthodologique et théorique très intéressante.

Barthes R. , *S/Z*, Paris, le Seuil, 1970. Analyse de *Sarrasine* d'H. de Balzac.
Le Plaisir du Texte, Paris, le Seuil, 1973.

Benveniste E., *Problèmes de linguistique générale*, Paris, Ed. Gallimard, tome I 1986, tomme II 1974. Les chapitres sur «l'homme dans la langue» sont essentiels pour l'énonciation.

Coquet, *Le Discours et son sujet*, Klincksieck, 1984, coll. Semiosis.

Ducrot O., *Le Dire et le Dit*, Ed. de Minuit, 1984.
Logique, Structure, Enonciation, Ed. de Minuit, 1989. Pour l'étude sur Ch. Bally.

Genette G., *Figures*, Ed. du Seuil, 1966.
Figures II, Ed. du Seuil, 1969.
Figures III, Ed. du Seuil, 1972.

Greimas A.-J., *Maupassant, la sémiotique du texte* : exercices pratiques. (Application rigoureuse des méthodes de l'auteur à un conte de Maupassant). Ed. du Seuil, Paris, 1976. On conseille aussi la lecture de «La linguistique structurale et la poétique», article court, clair et dense, pages 271-283, dans *Du Sens*, Ed. du Seuil, 1970.

Jakobson R., *Essais de Linguistique Générale*, Ed. de Minuit, 1963. Lire en particulier «Deux aspects du langage et deux types d'aphasie», où l'auteur étudie la métonymie et la métaphore, et «Poétique». *Questions de Poétique*, Ed. du Seuil, 1973.

Maingueneau D., *Eléments de Linguistique pour le texte Littéraire*, Ed. Bordas, 1986. Synthèse très utile.

Meschonnic H., *Pour la poétique*, essai, Ed. Gallimard, Paris, 1970. *Pour la poétique II*, Ed. Gallimard, Paris, 1973. *Pour la poétique III*, Ed. Gallimard, Paris, 1973.

Peytard J., *Syntagmes* (linguistique française et structures du texte littéraire), Ed. Les Belles Lettres, Paris, 1971. La réflexion sur la méthode est importante.

Riffaterre M., *La production du texte*, Ed. du Seuil, Paris, 1979.

Spitzer L., *Etudes de style*, Ed. Gallimard, Paris, 1970.

Todorov T., *Théorie de la littérature*, textes des formalistes russes réunis, présentés et traduits par T. Todorov, préface de R. Jakobson. Ed. du Seuil, Paris, 1966.
Théories du Symbole, Ed. du Seuil, Paris, 1977.

Les ouvrages collectifs sur la critique textuelle sont très nombreux ; on se borne à signaler :

Littérature et réalité, coll. «Points», Ed. du Seuil, 1982.

Rhétorique générale, groupe, coll. «Points», Ed. du Seuil, Paris, 1982.

Sémantique de la poésie, coll. «Points», Ed. du Seuil, Paris, 1979.

Consulter également la revue *Littérature*, Ed. Larousse, Paris, et la Revue *Poétique*, Ed. du Seuil, Paris.

Collection Lettres Supérieures

L'Histoire littéraire

• **Les périodes**

Introduction à la vie littéraire du Moyen Âge (BADEL)
Introduction à la vie littéraire du XVIe siècle (MÉNAGER)
Introduction à la vie littéraire du XVIIe siècle (TOURNAND)
Introduction à la vie littéraire du XVIIIe siècle (LAUNAY)
Introduction à la vie littéraire du XIXe siècle (TADIÉ)
Introduction à la vie littéraire du XXe siècle (GERBOD)

• **Les courants**

Lire le Romantisme (BONY)
Lire le Réalisme et le Naturalisme (BECKER)
Lire l'Humanisme (LEGRAND)
Introduction au surréalisme (ABASTADO)

• **Les thèmes**

Lire l'Exotisme (MOURA)
Lire les Femmes de lettres (AUBAUD, à paraître en 93)

• **Les œuvres**

Lire Du côté de chez Swann de Proust (FRAISSE)
Lire Nadja de Breton (NÉE)
Lire En attendant Godot de Beckett (RYNGAERT, à paraître en 93)
Lire Alcools d'Apollinaire (HUBERT, à paraître en 93)

• Les genres

Lire la nouvelle (GROJNOWSKI, à paraître en 93)
Lire le théâtre contemporain (RYNGAERT)
Introduction aux grandes théories du roman (CHARTIER)
Introduction aux grandes théories du théâtre (ROUBINE)
Introduction à la poésie moderne et contemporaine (LEUWERS)
Introduction à l'analyse du roman (REUTER)
Introduction à l'analyse du théâtre (RYNGAERT)
Introduction à l'analyse du poème (DESSONS)

Les méthodes pour l'analyse des textes

Introduction aux méthodes critiques pour l'analyse littéraire (BERGEZ et al.)
Éléments de psychanalyse pour l'analyse des textes littéraires (WIEDER)
Éléments de linguistique pour le texte littéraire (MAINGUENEAU)
Pragmatique pour le discours littéraire (MAINGUENEAU)
Le contexte de l'œuvre littéraire (MAINGUENEAU, à paraître en 93)
Introduction à l'analyse stylistique (SANCIER/FROMILHAGUE)
Éléments pour la lecture des textes philosophiques (COSSUTTA)

Les ouvrages de préparation aux examens et concours

Précis de grammaire pour les concours (MAINGUENEAU)
L'explication de texte littéraire (BERGEZ)
La dissertation littéraire (SCHEIBER)
L'atelier d'écriture (ROCHE)
L'épreuve de littérature comparée (CHAUVIN/CHEVREL, à paraître en 93)
Lexique de latin (CARON)
Les philosophes et le corps (HUISMAN/RIBES)
Éléments de rhétorique et d'argumentation (ROBRIEUX)

Imprimerie GAUTHIER-VILLARS, Paris
Dépôt légal, Imprimeur, n° 3961
Dépôt légal : juin 1993   *Imprimé en France*
Dépôt légal 1re édition : 2e trimestre 1990